참 좋은 당신을 만났습니다

서로 기대고 살아가는 사람들의 감동 에세이

송정림 지음

참 좋은 당신을 만났습니다

나무생각

1장

참 좋은 당신을 만났습니다

2장

타인은 미처 만나지 못한 가족

3장

행복의 냄새

4장
란드리, 란드리

사람 때문에 울고, 사람 때문에 웃고…….
사람을 사랑하고, 사람을 증오하고…….
사람을 배신하고, 사람을 용서하고…….
사람을 그리워하고, 사람을 잊으려 애쓰고…….
돌아보면 내가 걸었던 길목마다 '사람'이 있습니다.

살다 보면 사람이 두려운 적도 있겠지요. 차라리 아무도 없는 무인도 같은 데서 살고 싶단 생각이 들 때도 있겠지요. 나를 둘러싼 사람들이 모두 내 혹이고, 짐처럼 느껴질 때도 있겠지요. 세상에서 가장 힘든 일이 인간관계라는 말에 고개를 끄덕일 때도 있겠지요. '타인은 지옥'이라는 어느 철학자의 말에 크게 공감할 때도 있겠지요.

그런데 과연 나 혼자서 살아가는 일, 단 하루라도 가능할까요?

바람을 지배할 수는 없지만 배의 돛은 마음대로 조종할 수 있는 항해사처럼, 그 어떤 인생의 바람을 만나더라도 마음의 돛을 희망 쪽으로 바꾸는 일. 그것은 순전히 내 몫입니다.

믿었던 사람이 내게 등을 돌리는구나 싶은 순간이 올 때면, 가능한 한 빨리 세상에 사는 착한 천사를 찾아보는 게 좋겠습니다. 책 속에서든, 뉴스 속에서든, 일화 속에서든요.

세상이 삭막해졌다고, 사람들이 각박해졌다고 말하지만, 사실 둘러보면 착한 사람들은 정말 많습니다. 그런 사람들 이야기를 하나하나 모아 봤습니다.

내가 직접 경험한 이야기들도 있고, 누군가에게 들은 이야기도 있습니다. 인터넷에서, 신문 한 귀퉁이에서, TV 프로그램에서 접한 이야기들도 있습니다. 어쩔 수 없이 실명을 밝히진 않았지만, 여기 담긴 이야기들은 꾸민 이야기들이 아니라 모두 실제로 있었던 일들입니다.

이 이야기들을 하나씩 읽을 때마다 미소가 지어지셨으면 좋겠습니다. 뭉클한 감동을 느끼셨으면 좋겠습니다. 아, 내가 사는 세상에는 이렇게 좋은 사람들이 많구나 싶어 마음이 따뜻하고 행복해졌으면 좋겠습니다.

세상의 그 어떤 자연보다 사람이 아름답다고 전해 주는 사람 풍경, 그 천사들의 이야기를 당신께 선물로 드립니다.

당신이 그들을 천사로 인정하는 순간, 그들은 당신의 수호천사가 되어 줄 겁니다.

자기 일을 즐겁게 하는 사람,

다가온 인연을 소중히 하는 사람,

한계를 뛰어넘어 도전하는 사람,

나보다 불행한 이웃에게 따뜻한 손길을 내미는 사람,

타인에게 마음을 다해 친절을 베푸는 사람…….

그들을 만날 수 있었던 것은 내 인생에 찾아온 축복입니다.

그래서 인연이 찾아오면 그 인연을 소중히

여기는 법에 대해서도 함께 생각해 보고 싶었습니다.

그러니까 이 책은 꽃보다 아름다운 사람들의 이야기, 그리고 내게 찾아온 인연을 소중히 여기는 법에 대한 책입니다.

세상은 도저히 혼자서는 살아갈 수 없는 곳입니다. 그러니 세상 모든 사람은 모두 내 은인과 같은 존재가 아닐까요?

내가 먹는 쌀을 생산해 준 농부도 은인이고,

나를 직장까지 데려다 줄 버스 기사도 은인이고,

나를 행복하게 해주는 음악의 작곡가도 은인입니다.

그러므로 지금 만나는 타인은 모두 내 삶의 은인입니다.

그들에게 인사를 전하고 싶었습니다.

고맙습니다, 정말 고맙습니다…….

송정림

1장

참 좋은 당신을 만났습니다

천사를
만났습니다

내 생일 무렵이 되면 세상에는 온갖 꽃 등불이 켜집니다. 개나리, 벚꽃, 진달래, 목련……. 봄꽃이 만발한 계절에 생일이 있으니 얼마나 행복하냐고 사람들은 말합니다. 하지만 세상이 아름다울수록 오히려 쓸쓸해지곤 했습니다. 세상 만물은 화려한데 나 자신은 보잘것없는 미물처럼 느껴지기 때문입니다.

그해에도 생일은 다가왔고 힘든 시간들을 보내고 있었습니다. 되는 일은 하나 없고 주변 사람들은 곁을 떠나고……. 인생이 바닥을 치고도 다시 지하층이란 것이 있어서 까마득한 나락으로 떨어지는 듯한 기분에 빠져 있었지요.

그날 방송국에 갔다가 알게 되었습니다. 오랜 시간 온 힘을 기울여 작업하던 드라마가 제작 취소 결정이 내려졌다는 사실을 말입니다. 그 드라마가 유일한 희망이었는데 그 희망마저 스러져 버렸습니다. 다들 나를 주저앉히고 거들떠보지도 않는구나 싶어서 한없이 슬펐습니다.

고개를 푹 숙이고 걷는데 그날따라 꽃들은 왜 그리 곱던지……. 울고만 싶었습니다. 아파트 단지로 들어서니 단지 안에 늘어선 봄나무들에서 꽃향기가 어질어질 풍겨 왔습니다. 벚꽃이 흩날리고 목련이 흰 살결을 드러내고 진달래, 개나리가 만발한 단지를 걸어 들어오는데 마음이 더욱 깊은 우물 안에 갇힌 것처럼 어두웠습니다. 꽃들의 자태가 나를 더욱 위축시켜서 고개를 푹 떨구고 걸었습니다.

그때 아파트 동 앞에 백발의 할머니가 서 계셨습니다. 허리가 굽고 지팡이를 짚고 계신 할머니는 여든이 훌쩍 넘어 보였습니다. 할머니기 멀리서 걸어오는 저를 계속 쳐다보시더니 말을 건넸습니다.

"안녕하시우?"

십 년 넘게 살았지만 동네에서 한 번도 뵌 적이 없는 할머니였습니다. 할머니는 온화한 미소를 지으며 말했습니다.

"댁이 꽃보다 훨씬 곱수."

할머니의 그 말이 어두운 마음에 등불을 탁 켜주었습니다.

꽃들의 자태에 눌려 내 모습이 초라하게만 느껴졌는데, 하는 일마다 꼬여서 심사마저 뒤틀린 자신이 혐오스럽고 미웠는데…….
그런데 꽃보다 더 곱다니……. 갑자기 신분상승을 해 여왕이 된 기
분이었습니다. 마음에 환하게 켜진 등불이 가동되면서 거짓말처럼
힘이 솟았습니다. 그런데 뜻밖의 말을 들어서 당황한 나는 쑥스럽
게 웃고는 그냥 들어와 버렸습니다.

　집에 와서 생각해 보니 인사를 드려야 했는데 싶었습니다. 우울
한 마음을 삽시간에 환하게 밝혀 주신 할머니에게 뭐라도 드리고
싶어서 냉장고를 뒤져 과일 몇 개를 꺼냈습니다. 그러고는 봉지에
담아 아파트 앞으로 나갔습니다. 하지만 이미 할머니는 가버리고
안 계셨습니다.
　할머니가 저에게 말을 건넬 때 그 광경을 옆에서 본 경비 아저씨
에게 물었습니다.
　"아까 그 할머니가 몇 호에 사시는 분이세요?"
　경비 아저씨는 고개를 갸웃거리며 대답했습니다.
　"글쎄요. 저도 오늘 처음 뵙는 할머니였어요."
　경비 아저씨는 그 할머니가 우리 동네에 사는 분이 아닌 것 같다
고 했습니다. 동네 분도 아닌 할머니가 굽은 허리를 하고 어떻게 여
기까지 오셨는지, 왜 그 자리에서 물끄러미 나를 쭉 지켜보고 계셨
는지 알 수가 없었습니다.

그 후로는 그 할머니를 뵐 수가 없었습니다.

문득 이런 생각이 들었습니다. 그 할머니는 혹시 천사가 아니었을까. 우울한 마음에 위로를 전해 주려고 신이 잠시 내려 보낸 천사가 아니었을까.

우리는 그렇게 매 순간 천사를 만나며 살아가는 건 아닐까요?

어두운 골목을 걸어갈 때 뒤에서 나와 보폭을 맞추며 동행의 기쁨을 전하는 천사를, 지하도를 건너갈 때 동전 바구니를 앞에 놓고 앉아서 도움의 기쁨을 전하는 천사를, 클랙슨을 울리는 마음 급한 나에게 먼저 가라며 양보의 미덕을 전해 주는 천사를, 공원에서 두 손 잡고 걸어가며 가족의 소중함을 전하는 노부부 천사를…….

지금 이 순간, 우리는 천사를 만나고 있는지도 모릅니다.

두려움은 적게,
희망은 많이

　생사의 기로를 헤매는 어린 소년이 있었습니다. 워낙 심각한 부상이었기에 담당 의사는 한두 주를 넘기기 어렵다는 판단을 내렸습니다. 그런데 대학생 한 명이 며칠 동안 드나들더니 어린 소년이 기적같이 낫기 시작했습니다. 놀라운 회복 속도에 궁금해진 담당 의사가 소년에게 갑자기 회복이 빨라지기 시작한 원인이 무엇이냐고 물었습니다. 그러자 소년은 이렇게 대답했습니다.

　"형이 와서 영어 동사변화를 가르쳐 주면서 그랬어요. 이걸 알아둬야 다음 학기 공부에 뒤처지지 않을 거라고요."

　그래서 소년은 확신을 한 것입니다. '내가 나아서 다음 학기에 공부할 수 있구나. 그러지 않고서야 나에게 다음 학기 공부를 미리 가르쳐 줄 리가 없다'라고 말입니다.

　전혀 소생 가능성이 없던 소년을 빠르게 회복시킨 비결은 바로 희망이었습니다.

산속의 적은 물리치기 쉬워도 마음속의 적은 물리치기 어렵다는 말들을 합니다. 산적보다 무서운 마음속의 적은 스스로 절망하는 마음입니다.

누구에게나 곤경은 다가옵니다. 그러나 어떤 사람은 당황해서 주저앉고, 어떤 사람은 그 속에서 해답을 찾습니다. 어떤 사람은 사방이 막혔다고 절망하고, 어떤 사람은 위쪽은 언제나 뚫려 있다는 사실을 알고 하늘을 보며 희망을 품습니다.

자기 신뢰는 칫솔과도 같다고 합니다. 정기적으로 매일 사용해야 하는 것, 하지만 남의 것은 절대 쓸 수 없는 것이 바로 '자신에 대한 믿음'입니다.

오늘은 이런 스웨덴 속담을 마음에 잘 새겨 봅니다.

두려움은 적게, 희망은 많이
먹기는 적게, 씹기는 많이
푸념은 적게, 호흡은 많이
미움은 적게, 사랑은 많이 하라.
그러면 세상의 모든 좋은 것이 당신의 것이다.

어머니의
파스 냄새

어머니를 떠올리면 한평생 그 자리에 서 있는 나무가 생각납니다. 나무는 여린 가지를 많이 달고 있어서 바람이 불면 수많은 잎사귀들이 종소리를 울리며 흔들립니다. 자식 여섯에, 손자들에, 자식의 배우자들에, 손자들의 배우자에, 손자들의 자식들까지…….

어머니는 수많은 가지들에 애정을 쏟으십니다. 그러다 보니 가지 많은 나무에 바람 잘 날 없고, 바람이 불 때마다 수많은 근심 걱정의 잎사귀들이 뒤척입니다. 그중에서 어머니에게 가장 큰 근심거리가 되고 있는 자식이 나라는 사실을 알고 가슴이 미어졌던 때가 있습니다.

몇 해 전 드라마를 기획하다가 교통사고를 당했습니다. 인대가 끊어지는 중상을 입고 다리가 전부 완치되는 데 오랜 날들이 걸렸습니다. 그 후 오랫동안 기획해 오던 드라마가 복잡한 일에 휘말려 무산되고 말았습니다. 그러느라 거의 5년이 넘게 드라마를 쓰지 못했습니다. 게다가 남편의 사업이 힘들어지면서 많은 어려움이 몰려왔습니다.

어머니의 걱정은 모두 형편이 어려운 딸에게 쏠리기 시작했습니다. 제주도에 계신 어머니에게 전화를 드릴 때면 우선은 밝게 목소리를 내려고 연습까지 했습니다. 자식의 목소리에 유난히 민감한 어머니의 심사를 어지럽히기 싫어서였지요. 그러나 어머니는 딸의 목소리 위장술까지 다 파악하고 어려움의 정도를 감지하곤 하셨습니다. 자식의 마음에 대해서만큼은 도사급인 어머니를 속일 수는 없었습니다.

그러던 어느 날 허리가 편찮으신 어머니가 수술을 하러 서울에 오셨습니다. 수술이 끝난 후 얼마간 우리 집에서 지내셨는데 어머니가 나를 조용히 불렀습니다. 그리고 손수건에 둘둘 말아 둔 무엇인가를 꺼내 손에 꼭 쥐여 주셨습니다. 손을 펴보니 어머니가 그동안 용돈으로 꼬깃꼬깃 모아 둔 지폐였습니다.

나는 그 돈을 다시 어머니에게 드리면서 말했습니다.

"저 돈 있어요. 돈을 얼마나 많이 버는데요."

그러나 어머니는 한사코 돈을 다시 쥐여 주셨습니다. 나 역시 지지 않고 그 돈을 다시 돌려 드렸습니다.

　그런데 다음 날 아침, 원고를 쓰려고 컴퓨터 앞에 앉는데 책상에 어머니의 금반지가 놓여 있는 게 아니겠습니까. 평생 끼고 있어서 여기저기 세월의 흔적이 새겨진 반지. 어머니의 손가락과 이미 하나가 되어 도저히 뺄 수 없을 것 같던 그 반지가 놓여 있었습니다. 기가 막혔습니다. 반지를 들고 어머니가 주무시고 계신 방으로 갔습니다.

　낮은 숨소리를 내며 주무시는 어머니의 손가락을 보았습니다. 얼마나 빼려고 애를 썼던지 반지를 꼈던 자리가 짓물러서 하얗게 되어 있었습니다.

　나는 소리 죽여 울었습니다. 어쩌다가 내가 어머니의 근심거리가 되었는지, 어쩌다가 내가 어머니 가슴에 못을 박는 자식이 되었는지 자신에 대한 혐오감으로 참을 수가 없었습니다.

　어머니가 고향집에 돌아가시던 날, 공항에서 내 손을 꼭 잡으며 말하셨습니다.

　"항상 밑을 보고 살아야 한다. 나보다 못한 사람들을 보고 살아야 한다."

　나는 어머니에게 눈물을 보이지 않으려고 두 눈을 부릅뜨며 화를 냈습니다.

"도대체 제가 뭐 어떻다고 계속 걱정을 하고 그래요?"

심통을 부리며 어머니를 보내 드리고 난 후 집에 돌아와 보니, 돈을 싼 어머니의 손수건과 반지가 다시 책상 위에 놓여 있었습니다. 손수건에 싼 지폐 더미에서 파스 냄새가 풍겼습니다. 어머니가 아픈 허리춤에 오래 두었는지 파스 냄새가 후각을 찌르더니 명치를 아프게 찔렀습니다.

"아, 어머니……."

나는 주저앉아 하염없이 울었습니다.

어머니는 자식에게 그런 나무입니다. 하염없이 주고도 모자라 주고 또 주려고만 하는 나무, 실바람에도 크게 흔들리는 어린 나무, 언제나 그 자리에 있어서 찾아가면 나를 안아 주는 나무.

아파트 안에 있는 나무 한 그루에 '지하 나무'라고 어머니 이름을 붙였습니다. 그래서 어머니가 보고 싶어질 때마다 그 나무 밑에 서서 심호흡을 하며 불러 보곤 합니다.

"지하 씨, 안녕하세요?"

힘들어 절망에 빠질 때마다, 오만해지는 순간마다, 포기하고 싶은 순간마다 지하 나무는 파스 냄새를 풍기며 말합니다.

"항상 밑을 보고 살아라."

나의 천사, 어머니…….

이 집에서
좋은 일이 있기를

사업을 하다가 모든 것을 잃은 선배가 있습니다. 그 선배는 가진 돈을 다 잃고 결국 이혼까지 당했고, 가족과 멀리 떨어져 시골에 집을 구했습니다.

보증금도 없는 월세 20만 원짜리 집은 낡고 허름했습니다. 선배는 '과연 이런 집에서 살 수 있을까?' 하는 생각에 자꾸만 눈시울이 붉어졌습니다.

농부인 집주인은 선배의 얼굴빛을 살피며 누추해서 미안하다고 했습니다.

며칠 후 선배는 짐 몇 개를 들고 그 집으로 들어갔습니다. 발걸음이 무거웠습니다. 마치 폐가 같은 그 집에서 어떻게 살아가야 할지 막막했습니다.

그런데 집 안에 들어선 순간 깜짝 놀랐습니다. 처음 구할 때는 허름하기만 했던 집이 완전히 달라져 있었습니다. 그야말로 완전히 수돗물에 씻어 놓은 듯했습니다. 집주인은 집을 산뜻하게 도배해 놓고, 구석 구석 깨끗하게 청소도 해두었습니다. 그리고 작은 탁자를 갖다놓고 그 위에 들꽃까지 꽂아 놓고는 "이 집에서 좋은 일이 있기를 바랍니다"라는 쪽지를 남겼습니다.

마치 천사가 다녀간 듯했습니다. 선배는 크게 감동했습니다. 그리고 희망을 품어 보았습니다. 좋은 사람의 집이라면 좋은 기운을 받을 수 있을 것만 같았습니다.

"이제 다 잘 될 거야!"

선배는 심호흡을 하고는 힘차게 그 집에 들어섰습니다.

실수는
나의 힘

　드라마 작가 선배가 있습니다. 그 선배는 언제나 자신의 실수를 빨리 인정합니다.

　실수를 인정하는 것은 쉬운 일이 아닙니다. 쓸데없는 자존심이 고개를 쳐들기 때문입니다.

　"내 실수였어. 미안해."

　이렇게 쿨하게 인정하고, 잘못을 시인하는 그 선배는 항상 평화로워 보입니다. 그래서 더 크게 보입니다.

　〈동물의 세계〉라는 프로그램에서 수천 수만 년을 날아오르고 내려앉기를 거듭하던 군함갈매기나 흰머리독수리들도 어느 순간 착지를 하지 못해 실수하는 장면을 보고 김영천 시인은 이런 시를 썼지요.

날개를 접으며

다리를 모으며

땅에 내려서는 그대로 서지 못하고

미끄러지며 넘어지며

겨우 서네.

살며시 내려앉는 방법을 아직 모르고

아하, 나의

가끔의 실수가 그렇구나.

　수천 년 수만 년이나 같은 일을 해오던 갈매기들도 제대로 착지를 못할 때가 있습니다. 때로는 실수도 하고 때로는 넘어지니까 우리는 발견할 수가 있습니다. 실수를 눈감아 주는 너그러운 사람을…… . 그리고 내가 넘어졌을 때 손 내밀어 일으켜 주는 사람을…… .

　그런데 내 실수를 곱게 봐주던 눈길들은 다 사라지고 내가 남의 실수를 곱게 봐줘야 되는 시기가 오는 것…… . 그게 바로 나이가 들었다는 증거겠지요.

　그래서 나이들수록 조심을 더 해야 합니다. 누구나 웃을 수 있는 실수만을, 그 누구한테도 상처를 주지 않는 실수를 하면서 살았으면 좋겠는데, 가끔 남의 가슴을 후벼 파는 실수도 하게 됩니다. 그것도 사랑하는 사람의 마음을 아프게 하는 실수를…….

누구한테나 들키는 실수는 오히려 괜찮습니다. 하지만 보이지 않는 잘못을 저지르게 되는 경우도 많습니다. 내가 저지른 실수가 사랑하는 사람에게 헤어날 수 없는 아픔으로 작용하면, 그러면 정말 어떡하지요? 가벼운 농담 한마디가 사랑하는 사람의 마음을 아프게 한다면……. 못난 질투로 괜히 그 사람의 마음을 다치게 한다면 어떡하지요? 그건 정말 돌이킬 수 없는 실수가 될 텐데…….

"내가 그랬어요? 그래서 당신이 그때 그렇게 아팠단 말예요?"

그런데 내가 몰랐다고 용서받을 수 있을까요?

실수와 실패는 경험의 또 다른 말이라지만, 요즘은 이런 기도를 드리게 되네요.

"내 실수 때문에 다른 사람이 마음 다치는 일 없게 해주세요."

당신과
보폭을 맞출게요

몇 해 전에 교통사고를 당한 적이 있습니다. 15년 동안 작은 사고 한 번 없이 안전운전을 해왔는데 정작 운전대 앞이 아니라, 길가에 그냥 서 있다가 사고가 났습니다.

무거운 책을 한 아름 안고 택시를 기다리고 있을 때였습니다. 길가에 주차해 있던 차가 갑자기 후진하면서 나를 덮쳤습니다. 다리 인대가 끊어지는 중상을 입었습니다. 그리고 약 1년 동안 깁스를 한 채 지내야 했습니다. 그러면서 당시 하던 일에서 손을 놓아야 했고, 새로 산 테니스 라켓은 들어 보지도 못했습니다.

깁스를 풀고 나서는 한동안 목발 신세를 져야 했습니다. 그때 나는 톡톡히 장애 체험을 할 수 있었습니다. 그중에서도 가장 힘들었던 것은 횡단보도를 건너는 일이었습니다.

횡단보도의 신호는 왜 그리 짧은지……. 파란불이 켜지면 목발을 짚고 절름거리며 걸어야 하는데 신호가 금세 빨간불로 바뀌어 버립니다. 사람들은 뛸 듯이 걸어가 이미 건너편에 도달해 있지요. 그럴 때마다 도로 한복판에서 오도 가도 못한 채 서 있어야 했습니다.

차들은 도로 한가운데 서 있는 나를 위협하듯 클랙슨을 울리며 쌩쌩 달리고, 누구 하나 도와주는 이가 없었습니다. 삭막한 도시의 한복판에서 사막 같은 외로움을 느꼈습니다.

그때 결심했습니다. 다리가 다 나아서 나도 뛸 수 있는 때가 오면, 그래서 곁에서 다리가 불편한 누군가가 목발을 짚고 천천히 걷고 있으면, 그의 곁에서 보폭을 맞추어 주리라. 절대 먼저 뛰어가지 않고 그가 눈치채지 못하게 조용히 걷는 속도를 맞추리라.

나는 이제는 다 나아서 빠르게 걷기도 하고 뛰기도 하고 운동도 신나게 합니다. 몸이 불편했던 때를 잊은 채 횡단보도에 신호등이 켜지자마자 서둘러 뛰고 계단도 재빨리 오르내립니다.

그런 어느 날입니다. 횡단보도를 건너는데 맞은편에서 한 사람이 오고 있었습니다. 그는 목발을 짚고 천천히 걷고 있었습니다. 조심조심 불편한 걸음을 옮기는 그에게서 예전 내 모습을 보았습니다. 넓은 횡단보도 중간에 혼자 서서, 오도 가도 못한 채 울고만 싶었던 그날이 떠올랐습니다. 가슴 한구석에 아릿한 통증이 느껴졌습니다. 맞은편에서 걷는 내 발걸음이 저절로 느려졌습니다. 신호등은 이미 빨간색으로 바뀌었습니다.

그때였습니다. 버스가 그냥 선 채 움직이지 않았습니다. 몸이 불편한 그 사람이 횡단보도를 다 건널 수 있도록 신호가 바뀌었는데도 기다려 주는 것이었습니다. 뿐만이 아니었습니다. 그 사람의 뒤에서 보폭을 맞추며 횡단보도를 천천히 건너는 사람들을 보았습니다. 가슴이 뭉클하고 눈시울이 뜨거워졌습니다.

나보다 불편한 타인의 입장에 서서 내 걸음의 속도를 늦추고, 나보다 불행한 타인의 입장에 서서 내 삶의 속도를 늦추는 사람들.
그들은 세상 속에 있는 천사들이었습니다.

십 년 동안의
행운

언니는 아침 7시부터 9시까지 일주일 내내 생방송으로 진행하는 라디오 방송 작가 일을 합니다. 15년이 넘게 그 일을 하는 동안 언니는 늘 새벽 3시면 잠에서 깨어 원고를 썼습니다. 그리고 아침 6시면 늘 집에서 나가 방송국으로 갔습니다.

언니가 사는 아파트는 30년 이상 된 낡은 아파트라서 그런지 엘리베이터 속도가 아주 느립니다. 언니의 아침 시간은 거의 전쟁 같은 시간들이기 때문에 느린 엘리베이터가 특히 더 더디게 느껴지기만 했습니다.

그런데 언니가 말하곤 했습니다.

"나는 참 운이 좋은가 봐. 아침에 현관을 나가 보면 열 번에 서너 번쯤은 엘리베이터가 항상 9층에 서 있거든."

엘리베이터가 9층까지 올라오는 시간조차 너무나 아까운 아침인데, 거의 대부분 그 엘리베이터가 9층에 서 있으니 얼마나 운이 좋으냐는 것입니다. 그렇게 언니는 아침마다 엘리베이터를 기분 좋게 타고 내려가곤 했습니다. 10년 넘게 말입니다.

어느 날 아침, 엘리베이터를 타는데 언니네 옆집인 907호 부부가 같이 탔습니다. 두 분은 부부 약사로, 늘 아침 일찍 나가곤 했습니다. 언니 말에 의하면 인상이 너무 선해서 보기만 해도 미소가 번지는 그런 분들이었습니다.

"오늘도 운동 나가세요?" 하며 언니가 일상적인 인사를 건넸는데 옆집 아저씨가 말했습니다. "아침에 바쁘신 것 같아서 우리가 먼저 나갈 때는 늘 9층으로 엘리베이터를 올려놔요. 타고 내려오시라고요."

순간 언니의 마음에 행복한 충격이 전해졌습니다. 그러니까 그동안 운이 좋다고 느끼게 해준, 9층에 서 있던 엘리베이터는 이웃집 부부가 바쁜 이웃을 위해 올려 보낸 것이었습니다.

10년이 지나서야 그걸 알다니……. 언니는 눈시울이 뜨거워졌습니다.

참 좋은
당신을 만났습니다

출근 시간의 버스 정류장은 사람들로 북적였습니다. 요즘 세상 사는 모습이 다들 그러하듯이, 서로 아침 인사를 나누는 사람은 찾아볼 수 없었습니다.

그때 버스가 도착했고 사람들이 버스에 오르기 시작했습니다.

그러자 운전사가 먼저 인사를 건넸습니다.

"안녕하세요? 날씨가 덥죠?"

승객들은 교통카드를 찍느라 제대로 인사도 하지 않았지만 운전사는 끝까지 한 사람 한 사람에게 인사를 건넸고, 마지막으로 "자! 출발합니다"라는 예고방송까지 잊지 않았습니다.

버스가 차선을 바꿔서 정류장을 빠져나가려고 할 때 멀리서 한 남자가 버스를 잡기 위해 헐레벌떡 뛰어오는 모습이 보였습니다.

그러자 운전사는 가던 방향을 바꾸고 손님을 태웠습니다. 그러고는 급히 버스에 오른 남자에게 "뛰어오시느라 숨차시지요. 고생하셨습니다"라고 웃어 주었습니다.

버스에 탄 남자는 "감사합니다"라는 말을 몇 번이나 하며 기쁜 표정을 지었습니다.

버스가 종점에 도착하자 무표정으로 일관하던 승객들도 운전사의 "안녕히 가세요!"라는 말에 "감사합니다!"라고 대답하며 밝게 웃었습니다.

어느 신문의 독자 투고란에서 읽은 이야기입니다. 출근길에 만난 친절한 운전사 덕분에 기분 좋게 하루를 시작한 남자는 그날 만나는 사람들한테 친절을 전염시킬 수 있었다고 합니다.

만일 버스가 그냥 지나갔더라면 그는 운전사에 대한 원망으로 하루가 즐겁지 않았을 것입니다. 그리고 그날 만나는 사람들에게 불쾌한 기분을 전염시켰겠지요.

버스 운전사의 작은 배려와 친절은 그렇게 많은 사람들에게 힘찬 하루를 시작하는 에너지를 준 셈입니다.

작은 친절, 작은 미소를 보내는 당신.

그런 당신은 참 좋은 사람입니다.

송자매를 낳아 주셔서
감사합니다

　내가 책을 내면 최윤희 선생님은 언제나 광화문 교보문고 1층에 있는 샌드위치 집으로 나를 불렀습니다. 그리고 내 책을 교보문고에서 열 권 사들고 오셔서 사인을 해달라고 했습니다.

　"아유, 선생님. 제가 책도 자주 내는데 그때마다 이렇게 사시면 어떡해요. 제가 너무 죄송하잖아요."

　이렇게 말하면 선생님은 말씀하셨습니다.

　"책이 좀 팔려야 출판사에서도 신경 써서 광고도 해주고 그래요. 책이 좋으니까 잘 될 거예요. 어서 사인이나 해요."

　어느 날 선생님이 언니와 나를 식당에 불러 밥을 사주셨는데, 주인이 와서 물었습니다.

　"식사가 맛있는지 걱정이네요."

선생님이 주인에게 말했습니다.

"경찰 불러놨어요."

주인이 놀라 물었습니다.

"네? 왜…… 왜요? 음식이 이상한가요?"

그러자 최윤희 선생님이 대답했습니다.

"너-무 맛있어서 셋이 먹다가 둘이 죽게 생겼으니까 그렇죠."

주인의 안색이 환해지며 좋아했습니다.

선생님은 언제나 식사 값 지불이 빨랐습니다. 내가 사야 마땅한 날인데 그날도 어김없이 선생님이 총알같이 지불한 후였습니다.

그 식사가 끝나고 팥빙수 집으로 갔습니다. 20대 초반으로 보이는 종업원이 팥빙수를 들고 와서 최윤희 선생님에게 말했습니다.

"방송에서 뵈었어요. 강연이 좋더라고요."

그러자 최윤희 선생님은 이렇게 대답했습니다.

"와, 그렇게 재미없고 딱딱한 강연을 보다니! 정말 훌륭한 아가씨예요! 대단해요! 존경합니다!"

선생님이 감탄사를 터뜨리니 종업원이 오히려 주인공이 되어 행복해했습니다.

팥빙수의 모양을 보고도 감탄했습니다.

"와, 이게 빙수야? 영국 황실의 디저트도 이렇게 멋있지는 않을 거야. 우리는 오늘 이걸 먹으니 영국 여왕 부럽지 않아!"

최윤희 선생님은 그렇게, 같이 있는 사람을 행복하게 만드는 마법사였습니다.

최윤희 선생님은 나와 언니를 참 예뻐했습니다. 언제나 신비로운 '송자매'라며 송자매를 낳고 기른 어머니는 어떤 분인지 궁금해하셨습니다. 송자매의 어머니 강지하 여사를 연구해 봐야 한다며 찬사를 보내기도 하셨습니다.

어느 날 제주도로 방송 출연 차 가신 선생님은 내 고향집의 어머니 앞으로 커다란 꽃다발과 선물 보따리를 보냈습니다.

그 카드에는 이렇게 쓰여 있었습니다.

"강지하 여사님. 송정연, 송정림 자매 낳아 주셔서 감사합니다."

그 선물과 카드를 받으신 어머니는 기뻐 어쩔 줄 몰라하셨습니다. 방송에 나오는 최윤희 선생님이 우리 딸들을 인정하는 것만 해도 눈물 나게 고마운데, 이 고마움을 다 어떡하냐며 행복해하셨습니다.

최윤희 선생님은 우리 어머니에게 행복을 주신 분입니다. 우리 자매에게 기쁨을 선물하신 분입니다. 저에게 갚을 길 없는 은혜를 베푸신 분입니다.

　그런 분이 왜 그런 극단적인 선택을 하셨을까요? 그 이유는 그분만이 아실 겁니다. 그러나 이것만은 분명히 알겠습니다. 그럴 만한 이유가 분명히 있으셨을 것이다……. 어쩌면 더 이상 선생님의 존재가 다른 사람들을 행복하게 해주지 못해서……. 그래서였을지도 모르겠습니다.

　선생님은 돌아가시기 며칠 전, 우리 자매와 〈나무생각〉 출판사의 한순 주간님을 광화문 어느 식당으로 불렀습니다. 우리는 유쾌하게 웃었고, 다른 날처럼 수다를 떨었고, 깔깔 웃으며 사진을 찍었습니다. 서둘러 나와 계산을 하려고 하니 이미 선생님이 식당에 들어가시면서 식사값을 지불해 두셨다고 했습니다.

　나중에 생각해 보니…… 선생님은 죽음을 준비해 두셨던 듯합니다. 그래서 그날…… 우리에게 밥을 마지막으로 사고 싶으셨던 것 같습니다.

　아…… 선생님…… 고마움 가득인데 어떻게 표현해야 하나요……. 그곳에서는 다른 사람들 행복만 챙기지 마시고 선생님 행복도 챙기시길 바랄게요.

　사랑합니다. 그립습니다. 뵙고 싶습니다.

친구야
힘내

학교 때의 동창들이 모이는 날이 다가왔습니다. 그녀는 모임을 앞두고 나갈까 말까 수없이 망설였지만 나가기로 했습니다. 넉넉지 않은 살림과 시아버지의 병간호로 지칠 대로 지쳐 있던 그녀였지만 하루쯤 홀가분한 시간을 갖고 싶었던 것이 가장 큰 이유였습니다.

'나가자. 나가서 아무 생각하지 말고 오랜만에 친구들 얼굴이나 실컷 보고 오자.'

지하철을 타고 가는 동안 학창시절이 주마등처럼 스쳐 지나갔습니다. 그 후 힘들게 하루하루 사느라 참 많이도 변해 버린 자신을 느꼈습니다.

약속 장소에 들어서자 다른 친구들은 모두 나와 있었습니다. 한참을 이야기했고, 많이 웃었습니다. 정말 오랜만에 복잡한 생각에서 벗어날 수 있었습니다.

가족들 저녁 지을 시간이 가까워서야 이제 그만 일어서자는 이야기가 나왔습니다.

그때 한 친구가 전혀 예상치 못했던 이야기를 꺼냈습니다. 오늘부터 회비를 걷기로 했는데 그녀에게만 회비 걷는다는 말을 전하지 못했으니, 오늘 걷은 돈은 일단 그녀가 갖고 있으라고 했습니다. 일종의 친목계라고 했지요.

이미 의논이 끝난 이야기였는지 돈이 걷히고 그녀의 손에 쥐어지기까지 5분도 채 걸리지 않았습니다. 순식간에 일어난 일인지라 엉겁결에 회비를 받아들고 나와서야 그녀는 뭔가 이상하다는 생각이 들었습니다. 하지만 친구들은 이미 뿔뿔이 흩어진 뒤였습니다.

'통장을 새로 하나 만들어 넣어 둬야지' 하다 말고 그녀는 그만 고개를 떨구고 말았습니다.

"급한 사람은 써도 되고……."

친구가 농담 삼아 던진 말이 그제야 귓가에 맴돌았기 때문입니다.

그날 모임은 우연이 아니었습니다. 그녀가 실직한 남편을 대신해 시아버지 병원비를 마련하느라 지금 무척 어려운 처지라는 사실을 친구들은 이미 알고 나왔던 것입니다.

눈물을 가득 머금은 채 그녀는 친구들과 인사를 나누며 헤어진 곳을 돌아다보았습니다. 발걸음을 떼면 울음이 터질 것만 같아서 더 이상 걸어갈 수가 없었습니다.

어느 잡지에 실린 이 일화를 읽다가 나도 모르게 눈가가 따뜻해 졌습니다. 친구가 형편이 많이 어렵다는 것을 알게 된 친구들이 자 존심 상하지 않게 돈을 모아 건네는 풍경이 참 아름다웠습니다.

아름다운 것은 사람의 마음을 움직이는 힘을 지니고 있지요. 그 중에서도 우리 마음에 가장 큰 울림을 주는 것이 바로, 사람이 만들 어 내는 풍경이 아닐까 합니다.

사람과 사람이 서로 기대고 살아가는 모습들…….

서로 위하며 서로 미소를 나누는 모습들이 우리 마음을 움직이는 가장 강렬한 아름다움입니다.

우렁각시
이웃

몇 년 동안 바빠서 찾아가 보지 못한 조상의 묘를 어느 날 가보니까 깨끗하게 벌초가 되어 있다면 어떤 마음이 들까요? 마치 동화에 나오는 우렁각시처럼 누군가 그렇게 나를 위해 일을 해주었다면, 입가에 미소가 번지면서 감사의 인사가 터져 나올 겁니다. 그런데 동화가 아닌 현실에 그런 우렁각시 같은 사람이 있습니다. 어느 날 신문 한 귀퉁이에서 이런 미담을 접했습니다.

65세의 황씨는 10년이 넘도록 아무 연고가 없는 묘를 찾아가 보수도 받지 않고 벌초를 했습니다. 30여 년 동안 목수로 일해 온 그는 명절이 되어도 생업 때문에 고향에 가지 못할 때가 많았습니다. 자신과 같은 처지인 사람들이 많을 거라는 생각에 그 지역에서 무료 벌초 봉사를 해온 것입니다. 앞으로도 계속 그 일을 할 생각이냐는 기자의 질문에 그는 순박한 미소를 지으며 이렇게 말했습니다.

"더럽힌 옷을 빨아야 하는 아내에게는 너무 미안하지만, 깨끗해진 조상 묘를 보고 기뻐하는 사람들이 있으니 계속할 생각입니다."

옛이야기 중에 이런 것이 있습니다.

어떤 사람이 달 없는 밤에 개울가로 나갑니다. 낮에 그 개울을 건너느라 옷을 다 적시고 말았습니다. 돌이 단단히 괴어 있지 않아 비가 오면 물살에 떠내려갈 위험도 있었습니다.

그는 밤이 새도록 땀을 뻘뻘 흘리며 바위를 날라다가 징검다리를 놓았습니다. 이튿날이 되면 마을 사람들이 건너기가 좋을 겁니다. 그 생각을 하니 피곤한 줄도 모르고 웃음이 절로 납니다. 날이 밝으면 마을 사람들이 볼지도 모르니 서둘러야 했습니다. 그는 그렇게 밤새 징검다리를 놓습니다.

아무도 알아차리지 못하게 일부러 달 없는 밤을 골라 징검다리를 놓는 사람, 바빠서 고향을 찾아오지 못하는 사람들을 위해 이름도 모르는 조상의 묘를 깨끗이 벌초하는 사람. 이 세상에는 그렇게 이름 없는 천사들이 삽니다.

우리는 누가 놓았는지도 모르는 징검다리를 디디며 아무 탈 없이 개울물을 건너고, 누가 놓아 두었는지 모르는 약수터의 바가지로 시원한 물을 마십니다. 누가 매어 두었는지 모르는 로프를 잡고 산을 오르고, 누가 물을 주는지 모르는 거리의 꽃을 보며 미소를 짓습니다.

그렇게 나 아닌 다른 사람들을 위해 아무도 모르게 땀 흘려 무언가를 하는 사람들, 진정한 '공동체 의식'을 몸소 실천하며 사는 사람들이 있습니다.

그런 사람들로 인해 이 세상의 그늘이 지워집니다.

그런 사람들로 인해 삭막한 세상이 살 만해집니다.

매미
아들

키가 190센티미터에 육박하는 거구의 아들 녀석을 올려다보노라면 꼬맹이였던 아들이 가끔 생각납니다. 재형이가 아기였을 때 별명이 '매미'였습니다. 엄마 등에 딱 달라붙어 떨어지려고 하지 않았기 때문입니다.

그 당시에 나는 일중독 환자처럼 일을 했습니다. 고등학교 교사였던 나는 아침 일찍 학교에 나가 고된 업무를 마치고 집에 오면 소설을 썼습니다. 하루 24시간 풀가동하는 기계처럼 교사로, 주부로, 작가로 일을 했습니다. 아이를 키우는 일은 늘 다른 사람들의 도움을 받아야 했습니다. 그런데 내가 한번 안아 주면 아이는 그 다음에는 절대 떨어지려고 하지 않았습니다. 그 어느 누가 오라고 해도 절대 가지 않았고 내가 잠시 떼어 놓으려 하면 큰 소리로 울었습니다.

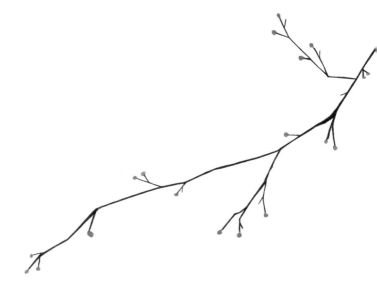

그러니 떼어 놓을 수 없는 아이를 안기도 하고 업기도 하고 등에 매달기도 한 채로 나는 청소도 하고, 빨래도 하고, 집에 오는 손님을 맞고, 학습 지도안도 짜고, 소설도 써야 했습니다.

그런데 아들이 다섯 살이 되던 해였습니다. 일하는 분이 집에 오셔야 학교에 나가는데 좀처럼 오시지 않았습니다. 조급한 마음에 베란다에 나가 밖을 내다보니 그분이 속상한 표정으로 아파트 화단에 앉아 우리 집 쪽을 올려다보고 있었습니다. 알고 보니 내가 설거지를 하느라 잘 듣지 못한 초인종 소리를 재형이가 듣고 튀어나가 문을 잠가 버린 것입니다. 그러고는 아무리 열어 달라고 해도 절대 열어 주지 않은 모양이었습니다. 그제야 나는 재형이가 엄마와 함께하는 시간을 얼마나 갈망하는지 알 것 같았습니다. 툭하면 재형이를 떼어 놓는 엄마가 얼마나 불안했으면 그렇게 죽기 살기로 엄마에게 딱 달라붙어 있었을까요. 얼마나 엄마와 함께 있고 싶었으면 안에서 문을 걸어 잠근 채 그 문을 꼭 붙잡고 있었을까요.

그날 나는 학교를 그만둘 결심을 했습니다. 그리고 재형이 옆에서 할 수 있는 일을 하기로 결심하고 전업작가로서의 길을 선택했습니다.

그런데 그때까지도 나는 정신을 차리지 못하고 일에 치여 살았습니다. 출근은 하지 않았지만 글 때문에 신경이 날카로워진 채 지냈고, 시간에 쫓기는 방송 일을 하느라 낮과 밤이 바뀌어 재형이에게 따뜻한 아침밥도 제대로 챙겨 주지 못했습니다.

그러던 어느 날이었습니다. 재형이가 초등학교 1학년 무렵에 일일 아침드라마를 쓰고 있었는데, 정신이 번쩍 드는 일이 있었습니다. 재형이 담임선생님이 불러서 학교에 갔습니다. 선생님은 재형이의 그림을 가져오며 말씀하셨습니다.

"재형이가 그림 표현력이 대단해요."

나는 아무것도 모르고 우쭐한 마음이 되어서 "나를 닮아서 그림을 잘 그려요." 하며 헤헤 웃었습니다. 선생님에게서 건네받은 그림 속에는 마귀할멈이 그려져 있었습니다. 컴퓨터 앞에 앉은 마귀할멈의 눈은 붉게 충혈되어 있었고, 마귀할멈이 치는 자판에서 ㄱ,

ㅂ, ㅎ 글자들이 공중으로 마구 날아다녔습니다. 그런데 그림의 뒷장을 돌려 보니 제목이 '우리 엄마'였습니다.

충격을 받은 나는 어떻게 학교를 나왔는지 모르게 뛰쳐나와 아무데나 주저앉았습니다. 그러자 많은 생각들이 주마등처럼 스쳐갔습니다. 재형이가 방에 들어오려면 "나가!" 하고 소리쳤고, 놀아 달라고 하면 "일하는 거 안 보여?" 하며 짜증 냈고, 배고프다고 하면 "아줌마!" 하고 일하는 아주머니를 목청껏 불러 댔습니다. 아이가 상처받는 것, 아이가 외로워하는 것, 아이가 슬퍼하는 것은 보이지 않았고 오직 내일 아침에 나갈 드라마를 걱정하고 그 드라마를 써 내지 못할까 봐 전전긍긍했고 드라마 시청률에 연연했습니다.

한동안 그렇게 거리에 앉아 생각하고 또 생각했습니다.

'무엇이 가장 소중한가? 무엇이 가장 중요한가? 내가 아니면 안 되는 것이 무엇인가……? 드라마는 내가 아니어도 쓸 사람이 많다. 아니, 나보다 더 잘할 수 있는 사람이 많고 많다. 그러나 내 아이인 재형이를 나보다 더 사랑해 줄 사람은 없다. 그토록 나를 갈망하는 아이를 떼어 놓고 직장에 뛰어나가던 나, 그토록 나를 원하는 아이를 제쳐두고 컴퓨터 앞에 앉아 있던 나…… 그 엄마의 등 뒤에서 아이는 얼마나 외로웠을까……?'

정신이 번쩍 든 나는 일어나 집으로 뛰어갔습니다. 그리고 재형이에게 소리쳤습니다.

"재형아! 놀~자!"

재형이의 얼굴이 환해졌습니다. 그 후 나는 그 어떤 일보다 재형이와 놀아 주는 것을 일순위에 두게 되었습니다.

재형이가 초등학교 4, 5학년이 되자 그 다음부터는 재형이가 엄마와 놀아 주지 않았습니다. 재형이와 함께 가야지 하며 부푼 마음으로 준비한 연극 티켓이 재형이 친구의 손에 넘어가야 했고, 가족끼리 함께 떠나는 여행을 준비했더니 친구들과 논다고 거부했습니다. 재형이가 엄마를 졸졸 따라다니는 게 아니라 엄마가 재형이를 졸졸 따라다니게 되었습니다.

아이가 엄마 아빠를 필요로 하는 기간은 그렇게 잠깐입니다. 금방 흘러가 버리는, 고작해야 몇 년의 세월입니다. 가장 중요한 그 시기에 아이가 엄마 아빠의 정을 느끼지 못하면 오랜 시간 결핍을 갖게 됩니다. 그러니 아이가 엄마를 찾는 그 시기에, 엄마 아빠에게 놀아 달라고 조르는 그 시기에, 아이가 배고프다고 밥을 찾는 그 시간에 아이의 곁에 있어 줄 일입니다. 직장에 나가야 하기 때문에 도저히 함께 할 시간이 안되면 늘 너와 함께 있다는 사랑 메시지를 전해 주어야 합니다. 투명인간처럼 아이 곁에 있다는 확신……. 그 확신을 심어 주기 위해서 여러 통신수단이 존재하는지도 모릅니다. 목소리와 편지만으로, 메모만으로도, 그리고 언제든 따뜻하게 웃는 부모의 얼굴만으로도 아이들은 충분히 부모의 존재를 느낄 수 있을 것입니다.

일하는 여자에게 가장 큰 실수는 가족을 외롭게 하는 일이 아닐까요? 그리고 일하는 여자에게 가장 큰 어려움 역시 가족에게 있습니다.

나도 모르게 내지르는 비명 속에, 나도 모르게 내뱉는 한숨 속에 내 곁에 있는 사람들은 얼마나 힘들었을까…… 그 생각을 하면 참 많이 미안합니다.

힘든 내 곁에서 더 힘들었으나 언제나 내 곁에 있어 주는 사람들, 고마워요. 정말 고맙습니다…….

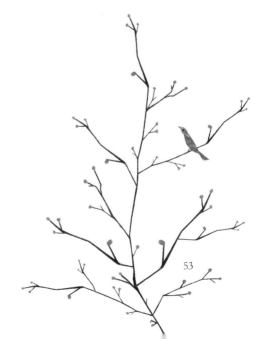

나무늘보
내 친구

날쌔고 강한 것만 살아남는다는 동물의 세계에 아주 느린 동물이 있습니다. 바로 나무늘보입니다. 열대 밀림지역에 사는 나무늘보는 아무리 열심히 뛰어도 1분에 1미터밖에 이동하지 못합니다. 나무늘보는 행동만 느린 것이 아니고, 재채기도 느리게 합니다. "에취!"가 아니라 "에~ 취~!" 이렇게 말입니다.

빠르기만 추구하는 세상에서 느긋하고 천천히 반응하는 나무늘보. 그러다 보니 위기에 둔감해서 위급한 상황이 와도 오래 버팁니다. 물속에 30분 이상 갇혀도 살아남고, 상처를 입어도 늦게 반응하다 보니 자연치료가 돼서 생명이 아주 깁니다.

느림보 나무늘보는 빠르게 질주하는 현대인들을 향해 묻습니다.

"여보세요! 뭐가 그렇게 급해서 빨리 달려가십니까?"

나무늘보 같은 친구가 있습니다. 그 친구는 언제나 바쁜 것 같지 않습니다. 단 한 번도 서두른 적이 없고 밥도 천천히, 말도 천천히 합니다. 그런데 이상한 일이지요? 그 친구는 참 많은 일을 해냅니다. 교사이자 두 아이의 어머니로 살면서 글도 쓰고 봉사 활동도 여러 군데 다니고, 여가 시간에는 기타까지 배웁니다.

과연 비결이 무엇일까요? 나무늘보 친구는 이렇게 말합니다. "우리에게 주어진 시간은 사실 많다"라고요. 시간도 자연의 일부인데 우리는 시간을 두려워만 할 뿐 그 시간을 느끼지 못하는 것은 아닐까요? 사실 우리에게 주어진 시간은 많은데 우리는 무엇이 그리 바쁜 걸까요?

모든 것이 빠르게 달려가는 속도의 세상에서는 불안의 속도도 빨라집니다. 사랑하는 사람에게 문자를 보냈는데 답장이 없으면 불안해서 안절부절못하다가 결국 통화 버튼을 누르고 맙니다. 그 사람이 어떤 상황인지 고려해 볼 여유도 없이 그저 내 마음이 불안한 것만 머릿속에 가득합니다. 친구에게 이메일을 보냈는데 빨리 확인하지 않고 답을 받지 못하면 그 역시 불안해집니다. 그렇게 우리는 자신도 모르게 마음조차 속도전에 뛰어들어 버렸습니다.

속도가 빠른 세상일수록 우리 마음의 기어는 전자동이 아니라 수

동이었으면 좋겠습니다.

천천히, 천천히, 그 기어를 조정하면서 기다리는 법도 알고, 불안과 불만 대신 나무늘보의 여유를 키울 수 있었으면 좋겠습니다.

따뜻한
보답

참 바쁘게 사는 지인이 있습니다. 집안일을 직접 할 수 없어서 일주일에 두 번 도우미 아주머니가 집에 옵니다. 아무리 대가를 지불하고 일을 부탁하는 것이지만 집에 들어오면 깨끗하게 치워져 있으니 도우미 아주머니가 정말 고마워집니다.

그래서 아주머니 오시는 날에는 우선 식사부터 하고 일을 하시라고 상을 차려 두고 집을 나섭니다. 아무리 바빠도 그 일은 꼭 하는데 그날따라 냉장고에 반찬이 하나도 없었습니다.

냉동실을 열어 보니 조기 한 마리가 보였습니다. 조기 한 마리를 바삐 굽고는 식탁에 메모를 남겼습니다.

"조기만 구워 놨어요. 식사 맛있게 하세요. 오늘은 바빠서 집안 정리를 하나도 못한 채 나가네요. 바쁘네요. 휘리릭."

집에 돌아와 보니 반짝반짝 집 안이 그날따라 윤이 났습니다. 그날도 역시 도우미 아주머니가 한없이 고마웠습니다. 그러나 이제 저녁을 지을 일이 막막했습니다. 반찬이 하나도 없는데 회사 일 하느라 너무 지쳐서 시장 볼 여력도 없었습니다.

힘없이 냉장고를 열어 보니 이게 웬일입니까. 냉장고 안에 갖가지 반찬이 가득했습니다. 식탁을 보니 도우미 아주머니가 쓴 메모지가 놓여 있었습니다.

"바쁘신 것 같아서 반찬 몇 가지 만들어 넣어 뒀어요. 솜씨는 없지만 맛있게 드세요. 그리고 조기, 정말 맛있게 잘 먹었습니다. 고맙습니다."

정 많은
사람

　주변 사람들 중에 정감과 사랑이 넘치는 사람들을 보게 됩니다.
그들은 우주 만물을 친구로 삼을 줄 압니다.

　동네에서 만나는 동물들과도 금세 친해지고, 걸어가는 곳의 돌멩
이 하나, 풀꽃 하나에도 금방 정이 듭니다. 나와 아무런 상관이 없는
사람의 불행에 눈물을 지을 줄 알고, 가여운 대상에 동정심을 품습
니다. 설령 아무리 큰 죄를 지은 사람이라고 해도 외면하기에 앞서
이해를 하려 합니다.

　착한 사람을 금방 알아보고, 작고 여린 것에 곧 정이 들고, 아름다
운 것을 금세 받아들이는 사람. 그런 사람은 사람만 사랑하는 것이
아니라 우주 만물을 다 사랑하기 때문에 인생을 의욕적으로 살아

가는 사람이기도 하지요.

햇살 하나에도 감사하는 마음을 품고 생의 에너지로 삼을 줄 알기 때문입니다.

사랑
채무자

어머니는 첫사랑이 없는 줄 알았습니다.

꿈도 없는 줄 알았습니다.

새벽잠이 없는 줄 알았습니다.

특별히 좋아하는 음식이 하나도 없는 줄 알았습니다.

아버지는 눈물이 없는 줄 알았습니다.

심장도 굉장히 강한 줄 알았습니다.

정이 없는 줄 알았습니다.

양주는 마실 줄 모르고 소주만 좋아하는 줄 알았습니다.

친구는 고민이 없는 줄 알았습니다.

연봉이 아주 높은 줄 알았습니다.

바쁜 스케줄이 없는 줄 알았습니다.

하지만 어느 날 알았습니다.
그들은 나를 위해 인내하고, 얇은 지갑을 열고,
소중한 것을 내주었고,
나를 위해 슬픔을 감추고 애써 웃어 주었다는 것을
참 뒤늦게 알았습니다.

우리를 위해 기꺼이 자세를 낮추는 사람들,
우리를 위해 기꺼이 주인공의 자리를 양보하고
조명이 되어 준 사람들…….
그런 사람들이 있습니다.
그러므로 우리는, 그 사랑을 누군가에게
나누어 주어야 할 책임이 있는
사랑 부자인 동시에 사랑 채무자입니다.

나를 위해
남을 돕는다

인상을 찌푸리게 하는 뉴스들이 넘쳐나는 요즘이지만 찾아보면 흐뭇한 소식들도 참 많습니다. 힘들게 모은 재산을 서슴없이 세상에 내놓는 손길도 있고, 어려운 이웃을 위해 봉사하는 이들도 참 많습니다.

"주기가 아깝지 않느냐", "봉사가 어렵지 않느냐"는 질문에 그들은 하나같이 이렇게 말합니다. 내가 행복해지려고 하는 일이라고 말입니다. 그런데 그냥 하는 말은 아닌 듯합니다. '테레사 효과'라는 용어가 있는 것을 보면 말이지요.

테레사 효과는 몇 해 전 하버드 의대의 한 실험에서 비롯된 이름입니다. 하버드 의대는 아주 흥미로운 실험 결과를 내놓았습니다. 의대생들을 봉사 활동에 참여시킨 후 체내 면역기능을 측정했더니 크게 증강되었다는 것입니다. 또한 마더 테레사의 전기를 읽게 한 다음, 인체 변화를 조사했더니 그것만으로도 생명 능력이 크게 향상되었다고 나타난 것입니다.

이처럼 직접 봉사 활동을 하거나 누군가 봉사하는 모습을 보기만 해도 면역기능이 높아지는 현상을 두고 연구진들은 '테레사 효과'라고 이름 붙였습니다. 봉사는 남을 위한 일이지만 봉사를 통해 얻는 기쁨은 결국 나를 위한 것이라는 점에서 참 고맙고도 즐거운 정보입니다.

테레사 효과를 입증해 주는 록펠러의 일화도 있습니다. 미국의 대부호인 록펠러는 암에 걸려 1년밖에 살지 못한다고 통고받았습니다. 그때 어머니가 그에게 이렇게 말했다고 합니다.

"아들아, 곧 세상을 떠날 텐데 마음껏 자선사업이나 하고 가렴."

록펠러는 그때부터 자선사업을 시작했습니다. 그런데 가난한 사람들에게 돈을 아낌없이 주니 가슴이 트이면서 마냥 행복해졌습니다. 결국 록펠러는 의사의 선고에도 불구하고, 그 후 무려 40년이나 더 생을 누렸습니다.

이쯤 되면 봉사는 타인을 도와주면서 나도 행복해지는, 그 어떤 보약이나 그 어떤 주사보다 효능 좋은 마음과 몸의 치료제가 아닐까 싶습니다.

세상에서 가장
슬픈 문자

　〈세상에서 가장 슬픈 문자〉라는 제목의 글을 인터넷에서 보았습니다. '대구 지하철 참사 1주기 추모식에서'라는 부제가 붙은 그 글은 이런 내용입니다.

　용돈 받는 날, 딸은 수학여행 준비로 용돈을 좀 더 넉넉히 주시지 않을까 하는 기대에 부풀어 있었습니다. 그러나 예상을 비웃기라도 하듯 딸의 손에 쥐어진 돈은 평소와 다를 바 없는 3만 원이었습니다. 참고서도 사야 하고 학용품도 사야 하는데 3만 원을 가지고 무얼 하라는 건지, 게다가 모레가 수학여행인데……. 딸은 용돈을 적게 주는 엄마에게 화풀이를 하고 집을 나섰습니다. 가방도 새로 사고, 신발도 새로 사고 싶었는데 기대가 산산조각이 나버렸습니다.

학교에 가자 짝꿍이 용돈을 넉넉히 받았다며 자랑했습니다.

"나, 오늘 수학여행 때 가져갈 거 사러 가는데 같이 안 갈래?"

딸이 친구와 같이 한창 신나게 이야기하고 있을 때 마침 엄마에게서 전화가 왔습니다. 하지만 딸은 괜히 화가 나서 전화를 받지 않았습니다.

30분 후에 다시 벨이 울렸습니다. 엄마였습니다. 딸은 휴대폰을 끄고 배터리까지 빼버렸습니다.

오후에 친구와 놀다가 집으로 돌아오는데 아침에 있었던 일이 떠올랐습니다. 괜히 화를 낸 것 같았습니다. 생각해 보면 신발도 그렇게 낡진 않았고, 가방은 옆집 언니에게 빌릴 수도 있었습니다.

'집에 도착하면 제일 먼저 엄마에게 미안하다는 말부터 해야지.'

집에 간 딸은 벨을 눌렀지만 아무도 나오지 않았습니다.

'아 참! 엄마가 오늘 일 나가는 날이었지.'

집으로 들어가자마자 딸은 습관대로 텔레비전을 켰습니다. 드라마가 나와야 할 시간에 뉴스가 나왔습니다. 속보였습니다. 대구 지하철에 불이 난 것이었습니다. 어떤 남자가 지하철에 불을 냈다고 했습니다. 순식간에 불이 붙어 많은 사람이 죽었다는 뉴스가 나오고 있었습니다.

그 후 오랜 시간이 지났는데도 엄마는 집에 오지 않았습니다. 텔레비전에서는 지하철 참사에 대한 이야기가 계속해서 이어졌습니다. 갑자기 불안한 마음이 엄습해 왔습니다.

엄마에게 전화를 걸었습니다. 통화 연결음만 이어지고 있었습니다. 몇 번을 다시 걸어 보아도 마찬가지였습니다. 불안한 마음으로 수화기를 내리고 꺼버렸던 핸드폰을 다시 켰습니다.

문자가 다섯 통이 와 있었습니다. 엄마가 보낸 문자도 두 통이나 있었습니다.

첫 번째 문자를 열었습니다.

"용돈 넉넉히 못 줘서 미안해. 엄마가 쇼핑센터 들러서 신발하고 가방 샀어."

엄마가 보낸 첫 번째 문자를 들여다보며 눈물을 흘렸습니다.

다시 정신을 차리고 두려운 마음으로 두 번째 문자를 열었습니다.

"미안하다. 가방이랑 신발 못 전하겠어. 돈까스도 해주려고 했는데, 미안! 내 딸아, 사랑한다."

영웅의
자격

1885년부터 발간된 영국 인명사전은 2004년부터 옥스퍼드대학 출판부가 주관해 오고 있는데, 해마다 새로운 인물을 추가하고 있습니다. 그 인명사전에는 현재까지 5만 7,348명이 수록되어 있고, 아직 생존해 있는 사람은 이름을 올리지 못합니다. 옥스퍼드대학 출판부 측은 2010년 5월, 인명사전에 '윌러스 하틀리' 등 모두 90명의 새로운 인물을 추가로 등재했습니다. 윌러스 하틀리는 과연 어떤 이유로 인명사전에 오르게 되었을까요?

1912년 4월 15일, 대서양을 건너던 배가 빙산에 충돌해 모두 1,517명의 목숨을 앗아간 사고가 있었습니다. 바로 타이타닉호 침몰 사고입니다. 영화나 다큐멘터리 등을 통해서 그 사고가 얼마나 큰 재앙이었는지 알고 있을 것입니다.

타이타닉호가 침몰하던 당시, 아수라장으로 변해가는 배에서 끝까지 침착하게 음악을 연주한 악단이 있었습니다. 바로 월러스 하틀리와 그가 이끄는 일곱 명의 연주자였습니다. 그들은 침몰하는 타이타닉호 갑판에 끝까지 남아 배가 빙산에 충돌한 뒤 가라앉기까지 세 시간 동안 연주를 계속했습니다.

그들이 마지막으로 연주한 곡이 〈내 주를 가까이 하게 함은Nearer, my God, to thee〉이라는 설도 있고, 〈가을Autumn〉이라는 증언도 있습니다. 절체절명의 순간에도 승객들의 동요를 줄이기 위해 악기를 놓지 않았던 그 바이올리니스트의 시신은 바이올린이 몸에 묶여 있는 상태로 발견되었습니다.

최후의 순간까지 악기를 껴안고 연주했던 악단. 그들의 헌신적인 노력을 기리는 기념물은 영국, 호주 등 모두 13곳에 세워졌는데 배와 함께 생을 마감한 선장의 기념물보다 두 배나 많다고 합니다.

배가 침몰하기 시작하자 사람들은 살길을 찾아 아우성치고 아비규환이 따로 없었을 것입니다. 그들도 침몰하는 배에서 얼른 탈출해 더 살고 싶었을 것입니다. 그런데도 다른 승객들의 동요를 막기 위해서 연주를 멈추지 않았습니다. 배가 완전히 침몰할 때까지 공포의 세 시간 동안 얼마나 마음을 졸였을까요?

그 연주자들은 생의 마지막 순간까지 침착하게 연주를 계속했고,

그래서 결국 바이올리니스트의 시신이 바이올린에 묶인 채 발견되었던 것입니다. 그 마지막 순간을 생각하니 마음이 숙연해집니다.

이 악단을 인명사전에 올린 영국 인명사전 측은 그들에 대해 이렇게 평했습니다.

"이 음악인들의 용감하고 자비로운 행동은, 재난 속에서도 많은 사람에게 존엄성과 영웅적 자질을 보여 준 상징이 됐다."

영웅이란 과연 무엇일까요?

자신이 가진 재능과 자신이 할 수 있는 일로 다른 사람의 행복과 안녕을 위해 무언가를 할 수 있다면, 분명 세상의 영웅이 될 자격이 있습니다.

쓰레기가
싱싱해요

TV 다큐멘터리를 보았습니다. 〈행복〉이라는 제목으로 기억합니다.

'우리나라 사람들은 과연 행복할까'라는 주제로 이야기를 풀어가는데 모두가 참 많이 불행해 보였습니다. 사람들은 요람에서 무덤까지 경쟁에 치여 살면서 행복을 한 번도 느껴 보지 못한 채 살아가는 듯했습니다. 학창 시절에는 명문대에 입학하는 것이 꿈이고, 대학에 들어가서는 취직하는 것이 꿈이고, 취직하면 승진해야 하고, 승진하면 집 사고 차를 바꿔야 하고……. 어린아이들은 학교에서 학원으로 하루 종일 공부에 치이고, 어른이 되고 나면 직장에서 술집으로 하루 종일 분주했습니다.

그토록 바라던 의사가 되어 개업을 했지만 건너편 건물에 큰 병원이 들어서자 조바심이 나고, 남들이 다들 부러워하는 회사에 입사했지만 유능한 신입사원이 들어오자 긴장하고, 집에 가면 아내가 이웃집과 비교하는 바람에 상대적 빈곤을 느낍니다. 부모 자식 간에도, 부부 사이에도 서로에 대한 기대 때문에 서로 미워하고 등을 돌립니다. 그 다큐멘터리 속에서 우리의 자화상은 그렇게 어두워 보였습니다.

도대체 우리는 무엇을 위해 사는 것일까? 우리가 인생에서 추구하는 것은 무엇일까? 어떻게 사는 게 행복한 것일까? 물음표가 수없이 찍히더군요.

그런데 행복하게 웃는 한 사람이 등장했습니다. 그의 직업은 청소부였습니다.

그는 모두가 잠든 이른 새벽에 일어나 일을 나섭니다. 아내도 일찍 일어나 그를 배웅합니다. 50대는 족히 되어 보이는 부부였지만 두 사람은 뺨에 뽀뽀를 하고 "우리 아내 예쁘다", "우리 남편 멋지다"를 연발합니다. 세상의 잣대로는 별로 예쁠 것도, 잘난 것도 없는 그들이지만 두 사람은 그렇게 서로의 눈에 참 예쁘고 참 멋진 듯했습니다.

어둑한 새벽 거리를 뚫고 청소차를 몰고 쓰레기를 수거하는 남자는 얼굴에 웃음이 가득했습니다. 일할 수 있다는 것이 얼마나 고마운지 신이 난 얼굴이었습니다.

그는 음식물 쓰레기로 가득한 봉투를 손바닥으로 탁탁 치며 감탄
사를 터뜨렸습니다.

"이런 새벽에는 쓰레기도 싱싱해요!"

사는 게 고맙고 행복하니 새벽이 고맙고 행복하고, 일이 고맙고
행복하니 쓰레기가 고맙고 행복하고……. 남자의 얼굴은 행복으로
넘쳐 났습니다. 그러니 시가 저절로 나와 써둔 시가 많다고 했습니
다. 그의 시는 인생 찬가로 가득할 듯했습니다.

행복의 기준은 과연 무엇일까요?

내가 하는 일, 내 곁에 있는 사람, 내가 머물고 있는 이 시간을 소
중하게 여길 줄 아는 것, 그것이 행복의 유일한 조건은 아닐까요?

사랑의 기술

지인 중에 큰 가방을 가지고 다니는 사람이 있습니다. 그는 사람을 만나면 그 가방에서 뭔가를 꺼내 줍니다. 볼펜도 주고 메모지도 주고 공책도 주고 가끔은 다 읽은 책도 건네줍니다. 그렇게 뭔가를 남에게 주는 일이 행복하다고, 그래서 늘 큰 가방에 뭔가 넣어 다닌다고 그는 말합니다.

그래서일까요? 그의 곁에는 늘 사람들이 있습니다. 만나는 사람마다 그를 좋아합니다. 그는 사소한 것을 줌으로써 소중한 사랑을 얻었습니다.

자전거를 처음 배울 때 한참을 뒤뚱거리다가 어느 순간 핸들을 좌우로 틀면서 방향을 조정할 줄 알게 됩니다. 그리고 페달을 발로 밟거나 떼며 속도도 조절할 수 있게 됩니다. 수영을 처음 배울 때에도 발차기 동작부터 시작해 점점 물살을 가르며 앞으로 나아가는 방법을 배웁니다.

《사랑의 기술》을 쓴 에리히 프롬은 사랑도 후천적인 기술이라고 강조했습니다. 자전거 타기나 수영처럼 배우고 익혀야 할 기술이라고 말입니다. 첫눈에 반해 사랑에 푹 빠지면 만사가 착착 진행되는 것이 아니라 양보하는 법, 인내하는 법, 베푸는 법, 배려하는 법을 하나하나 배워 가야 합니다. 그것이 사랑과 모든 인간관계의 법칙인가 봅니다.

"사람들은 항상 사랑받을 궁리만 하고 있다. 그래서 사랑에 실패하는 것이다."

에리히 프롬은 이렇게 말했습니다. 사랑도 배우고 익혀야 할 후천적인 기술이라면, 결국 우리가 가장 열심히 배워야 하는 과목은 '받기'보다 '주는' 공부겠지요.

내게 필요한 건
오직 '사람'

　세상에서 제일 무서운 것은 다른 게 아니라 바로 '사람'이라는 말들을 합니다. 이 세상에 제일 어려운 일이 인간관계라고 말하는 사람들도 많아졌습니다. 그래서일까요? 사람들은 처음 만날 때부터 서로 견제를 하고, 잔뜩 긴장하며 마음의 문을 닫아 놓고 만나게 됩니다. 어울려 노는 것보다 혼자 하는 놀이에 빠지는 아이들, 같이 사는 것보다 혼자 사는 게 편한 어른들이 많아져 갑니다. 나 역시 '혼자' 문제를 떠안고 '혼자' 답을 찾는 것에 익숙해질 때쯤, 가슴을 쿵치는 글 하나를 만났습니다.

　서른두 살에 수혈을 하다가 에이즈에 감염된 자디아 에쿤다요는 긴 투병 생활 중에 이런 글을 남겼습니다.

내가 원하는 것은 함께 잠을 잘 사람

내 발을 따뜻하게 해주고

내가 아직 살아 있음을 알게 해줄 사람

내가 읽어 주는 시와 짧은 글들을 들어 줄 사람

내 숨결을 냄새 맡고, 내게 얘기해 줄 사람

내가 원하는 것은 함께 잠을 잘 사람

나를 두 팔로 껴안고 이불을 잡아당겨 줄 사람

등을 문질러 주고 얼굴에 입맞춰 줄 사람

잘 자라는 인사와 잘 잤느냐는 인사를 나눌 사람

아침에 내 꿈에 대해 묻고

자신의 꿈에 대해 말해 줄 사람

내 이마를 만지고 내 다리를 휘감아 줄 사람

편안한 잠 끝에 나를 깨워 줄 사람

내가 원하는 것은 오직

사람

희망보다 절망 쪽에 서 있을 때, 인생의 추위에 어깨가 움츠러들 때, 그럴 때 그리운 것은 역시 사람의 온기가 아닐까요?

생각만 해도 마음이 환해지는 대상이 있다는 것은 참 행복한 일입니다. 아무리 고달픈 현실이 있어도 지금 이 순간, 그 사람과 함께 있을 수 있다면 그것으로 기쁜 일입니다.

지금, 당신을 가장 필요로 하는 사람 곁에 계십니까?

당신의 따뜻한 손을 그에게 내밀어 주고 계신가요?

2장

타인은 미처 만나지 못한 가족

진정한
용서

내가 남자에게 상처 입은 최초의 장소, 그곳은 중학교 운동장입니다.

내가 다닌 중학교의 운동장은 정비가 안 되어 자갈투성이였습니다. 그래서 방과 후나 체육 시간에는 학생들이 모두 삽을 들고 운동장 건설의 역군으로 동원되어 흙을 골라야 했지요. 그날도 열심히 흙을 고르고 있는데 내 턱을 향하여 삽이 하나 날아왔습니다. 나는 정신을 잃고 픽 주저앉았습니다. 내 턱에서는 빨간 피가 흐르고 있었고 아이들은 우 소리를 내며 나에게로 몰려들었습니다. 삽으로 내 턱을 날려 버린 남학생은 얼굴이 창백하게 굳어진 채 어쩔 줄 몰라 했습니다.

어머니와 함께 병원에 들러 턱을 몇 바늘 꿰매고 집으로 오는데 우리 집 앞에서 그 남학생이 서성거리고 있었습니다. 남학생은 죄인처럼 어쩔 줄 모르며 두려운 눈으로 나와 어머니를 번갈아 바라보았습니다. 어머니는 남학생에게 다가가서 미소를 지으며 말씀하셨습니다.

"정림이는 괜찮아. 걱정 말고 집으로 가거라."

남학생은 어머니의 따뜻한 말 한마디에 눈물을 펑펑 쏟고 말았습니다. 주먹으로 눈 주변을 연신 닦으며 펑펑 우는 남학생을 어머니는 잘 달래어 집으로 돌려보냈습니다.

동네 사람들은 내 턱을 보고 여자아이 얼굴에 흉이 지게 생겼다며 농담조로 "그 남자애한테 네 인생 책임지라고 해라" 하며 웃어댔습니다. 나는 상처 입은 턱을 감싸 쥐고 그 남학생을 원망했습니다. 며칠 후 그 남학생의 어머니가 우리 집에 찾아왔습니다. 그 어머니의 손에는 막 수확한 고구마 한 바구니가 들려 있었습니다. 치료비를 낼 만한 돈이 없어 고구마로 대신 가져왔다고 했습니다. 어머니는 고의로 그런 것도 아닌데 괜찮다며 웃으셨습니다. 그 남학생의 어머니 눈에서는 눈물이 반짝였습니다.

그 남학생은 졸업할 때까지 나를 슬슬 피해 다녔습니다. 나는 괜찮으니까 피하지 말라고, 말할 용기가 없었습니다. 그 당시는 남학생들과 얘기도 잘 못하고 부끄러워 서로 이름도 잘 못 부르던 시절이었습니다. 그렇게 중학 시절을 다 보냈고, 나한테 상처 입힌 그 남학생의 이름을 기억하지도 못할 정도로 많은 세월이 흘러 버렸습니다. 나는 그 일을 까마득하게 잊고 살았습니다.

그런데 얼마 전 그 남학생을 만났습니다. 동창회 때 나는 이제 장년이 된 그 남학생을 몰라봤습니다. 그런데 그 남학생이 나에게 다가와 맨 먼저 건넨 말이 이랬습니다.

"니 턱에 상처…… 괜찮니?"

그 남학생은 살아가면서 단 한시도 내게 입힌 상처를 잊은 날이 없다고 했습니다. 내가 웃으며 말했습니다.

"어우, 그게 언제 적 일인데 그걸 기억해?"

그 남학생은 그때, 딸의 턱에 크게 상처 입힌 남학생을 따뜻하게 웃으며 그냥 돌려보낸 우리 어머니를 아직도 인생의 스승으로 여기고 있다고 했습니다.

용서란 그런 게 아닐까요? 용서한 사실조차 잊어버리는 것, 그게 진짜 용서 아닐까요? 중학 시절 까까머리 남학생과 단발머리 소녀는 장년이 되어 환하게 웃으며 악수를 나눴습니다. 이제야 그 일을 다 잊고 살아가겠노라, 웃었습니다.

회초리보다
따끔한 사랑

　세상이 각박하다, 메말랐다고 하지만 그래도 세상은 살 만하다, 따뜻하다고 느끼는 순간이 있습니다. 사막 같은 시간을 보내던 어느 날, 마음에 오아시스 하나를 선물해 주는 듯한 이야기를 신문에서 접했습니다. 소매치기에게 용돈을 건넨 어느 판사의 이야기입니다.

　거우 스무 살밖에 안 된 젊은이가 떠돌이 생활을 하며 현금을 훔치다가 구속되었습니다. 아버지가 노숙 생활을 하고 할머니가 암 투병을 하는 환경에서 살아오던 청년은 초등학교 3학년을 중퇴한 후 떠돌이 생활을 하며 절도 행각을 벌여 오다가 경찰에 붙잡혔습니다.

　구속영장을 발부하는 과정에서 판사는 자기 지갑을 열어 있던 돈을 모두 꺼냈습니다. 그리고 "배가 고파 힘이 없다"는 소매치기 청년에게 우선 뭘 좀 사 먹으라고 말했습니다.

어쩌면 판사는 따끔한 충고의 말이 무수히 떠올랐을 것입니다. 더 어려운 환경 속에서도 꿋꿋이 살아가는 젊은이들이 떠올랐을 수도 있습니다. 하지만 판사는 질책과 처벌에 앞서 마음을 열었습니다. 고픈 배를 달래는 게 우선이지 벌을 주는 게 우선이 아니라고 생각한 것입니다. 그의 돈을 받아 든 소매치기 청년은 과연 무슨 생각을 했을까요?

이런 청년에 대해 비관적인 생각을 하는 사람들이 있을지도 모릅니다. '베풀어도 은혜를 모른다', '나쁜 버릇은 남 못 준다'면서 혀를 차는 이들도 있을 것입니다. 그러나 사람이 사람을 만날 때 우선해야 되는 것은 그 사람이 어떤 직위를 가졌든 어떤 죄를 지었든 생명을 가진 인간이라는 사실입니다.

잘못을 추궁하기 전에 마음에 연민을 품는 것, 그것이 어쩌면 이 사막 같은 세상에 오아시스를 심는 비결이 아닐까요?

사막 같은 세상에 오아시스를 심어가는 사람들은 그리 위대한 사람들이 아닙니다. 일상을 살아가는 속에서 사람에 대한 연민과 동정심을 잃지 않고 세상에 촉촉한 온기를 심는 사람들. 그들의 소식을 접할 때마다 이 세상은 살 만하다는 희망을 느끼게 됩니다.

판사가 건넨 4만 원을 받아 든 스무 살 소매치기 청년…….

청년에게 그 돈은 어쩌면 따끔한 회초리보다 더 아팠을지도 모릅니다.

용서
합니다

　남편이 아내를 지친 얼굴로 찾아왔습니다. 남편은 아내에게 죄인이었습니다. 넉넉지 못한 집안이었는데 사업 자금으로 있는 돈, 없는 돈 다 가져다 써버린 것입니다. 아내 몰래 집문서를 저당 잡혀 빚을 얻기도 했습니다. 그 사업이 잘되지 않아 빚더미에 앉았습니다. 아내가 한 푼, 두 푼 모아 장만한 집이 사라졌고, 형제와 친척도 등을 돌리고 말았습니다. 친구들도 그를 멀리했고 한때 둘도 없이 지내던 사업 동료들도 그를 피했습니다.

　그는 도저히 아내에게 돌아갈 면목이 없어서 여러 곳을 방황하다가 다른 여자를 만났습니다. 그러나 그 여자와도 헤어졌습니다.

　아내는 남편에게 다른 여자가 생겼다는 사실을 알고 완전히 절망했습니다. 집문서를 몰래 가져다가 저당 잡힌 것도, 자기 몰래 무리

하게 빚을 얻어다 쓴 것도 억장이 무너질 일인데 다른 여자까지 생겼다니…… 아내는 남편을 도저히 용서할 수 없을 것 같았습니다.

이혼 서류를 쓰고 도장을 준비했습니다. 그런데 남편과 연락이 닿지 않았습니다.

괴로운 날들이 흘렀습니다.

그러던 어느 날, 남편이 집에 돌아왔습니다. 행색을 보니 기가 막혔습니다. 눈에 띄게 수척해지고 지쳐서 돌아온 남편을 보니 아내는 가슴 한쪽이 무너지는 것 같아 방으로 들어가 버렸습니다.

아내는 한참을 벽에 기대어 울다가 일어나 밥을 지었습니다. 밥이라도 먹고 나서 이혼 얘기를 꺼내자 싶었습니다.

아내는 된장찌개를 끓이고 따뜻한 밥을 지었습니다. 한쪽 구석에 죄인처럼 앉아 있던 남편을 불러 밥상 앞에 앉혔습니다. 그런데 남편이 찌개를 몇 술 뜨다가 어깨를 떨었습니다. 삭막한 세상을 떠돌며 온갖 아귀다툼 속에 있다가 돌아온 그에게 가정의 평화와 안식은 너무나 따뜻했습니다. 남편은 그렇게 한참을 울었습니다. 아내도 울고 남편도 울었습니다. 아내가 지어 준 따뜻한 밥과 된장찌개……. 그 밥의 힘은 남편을 변화시켰습니다. 그 후 남편은 달라졌습니다.

아내는 어느 날, 이혼서류를 찢어 버렸습니다. 하루 종일 부지런히 빚을 갚기 위해 동분서주하는 남편을 보며 증오도 원망도 사라져 버렸습니다. 증오의 바윗덩어리를 치우고 나니 마음이 환해졌습니다. 그렇게 두 부부는 사랑을 찾았습니다. 잃었던 돈은 아직 돌아오지 않았지만 가족을 되찾았습니다.

사람을 미워하는 일은 참 쉽습니다. 그렇지만 사람을 용서하는 일은 참 어렵습니다. 나를 해롭게 한 사람, 나를 힘들게 한 사람, 나를 눈물짓게 한 사람을 용서하기란 참 힘든 일입니다.

용서의 철학에 대해 영화 〈밀양〉을 비롯해서 많은 소설과 영화에서 다루었습니다만, 과연 용서는 누구를 위한 것일지, 용서를 해야만 하는 마음은 어떤 것일지 생각해 봅니다.

증오를 안고 있다는 것은 내 가슴에 크고 무거운 맷돌 하나가 얹

혀 있다는 것입니다. 누군가를 미워한다는 것은 내 가슴에 칼을 품고 있는 것입니다. 누군가를 용서하지 못한다는 것은 내 마음에 서리를 품고 산다는 이야기입니다. 그러니 내 마음이 그 맷돌로 인해 자꾸 무거워집니다. 내 마음이 그 칼로 인해 예리하게 베어집니다. 내 마음이 그 서리로 인해 자꾸만 춥고 아립니다.

　나에게 씻지 못할 상처를 준 사람, 평생 당신을 결코 용서하지 못할 거라며 이를 악물게 만든 사람, 복수하고 싶은 사람, 원수 갚고 싶은 사람, 그런 사람이 있는 한 그 무겁고 차갑고 예리한 통증 때문에 내가 더 나아가지 못합니다.

　그러므로 용서를 한다는 것은 그 사람을 위한 일이 아닐지도 모릅니다. 용서는 나를 위한 일입니다.

　마음에 성능 좋은 지우개를 하나 미련해 볼 일입니다. 그래서 미움과 상처를 깨끗이 지워 버릴 일입니다. 그것이야말로 진정한 복수입니다. 왜냐하면 용서를 하면 한결 가벼운 마음으로 더 멀리 나아갈 수 있고 더 높이 뛰어오를 수 있기 때문입니다.

눈물
밥

　아버지에게 절망의 순간이 닥쳤습니다. 사업이 망하면서 온 가족이 하루아침에 거리로 나앉게 된 것입니다. 나이 오십 줄에 모든 것을 잃어버린 아버지는 자주 술을 찾았고, 방황의 늪에서 벗어나지 못했습니다. 결국 아내는 집을 나가 버렸습니다.

　그날도 술에 취해 집에 들어갔는데 한참 꼼지락거리는 소리가 들리더니 어린 맏딸이 고사리 같은 두 손으로 밥상을 들고 들어왔습니다. 그리고 이번엔 작은딸이 아랫목에 겹겹이 덮어 놓은 이불 밑에서 밥 한 그릇을 꺼내 놓았습니다. 아랫목 이불 밑에 밥을 넣어 두면 식지 않는다는 것을 철부지들이 어떻게 배웠을까, 아이들은 이불 밑에 밥을 넣어 두고 얼마나 기다렸을까 싶어 아버지는 그날, 눈물밥을 먹었습니다. 그 밥 한 그릇이 아버지를 다시 일어서게 했습니다. 아버지는 다시 일을 시작했고, 힘들 때마다 그날 밤의 눈물 밥을 떠올린다고 합니다.

어느 잡지에서 이런 사연을 읽다가 김진경 시인의 〈이팝나무 꽃 피었다〉라는 시를 떠올렸습니다. 시인은 어머니의 밥을 떠올리며 이렇게 썼습니다.

촛불 연기처럼 꺼져가던 어머니,
"바 - 압?"
마지막 눈길을 주며
또 밥 차려 주러
부시럭부시럭 윗몸을 일으키시다

마지막 밥 한 그릇
끝내 못 차려주고 떠나는 게
서운한지
눈물 한 방울 떨어뜨리신다.

그 눈물
툭 떨어져 뿌리에 닿았는지
이팝나무 한 그루

먼 곳에서 몸 일으킨다.

먼 세상에서 이쪽으로
가까스로 가지 뻗어
톡
경계를 찢는지

밥알같이 하얀 꽃 가득 피었다.

어머니가 돌아가신 후, 시인의 눈에는 이팝나무에 가득 피어난 꽃이 어머니가 그토록 차려 주고 싶어 하던, 생의 마지막 순간까지도 자식에게 먹이고 싶어 하던 하얀 쌀밥처럼 보였습니다.

일에 실패해서 어깨가 축 처진 아버지에게 따뜻한 밥을 지어 숟가락을 들게 하는 어린 딸들, 마음이 뻥 뚫린 자식에게 밥을 지어 먹이며 몸이 실해야 슬픔도 이겨 낸다고 하는 어머니, 밥상을 차려 주는 것으로 '사랑한다'는 말을 대신하는 가족들. 그들이 있는 한 우리는 힘을 낼 수 있겠지요.

어린 딸이 고사리 같은 손으로 지어 준 밥을 먹어 본 사람은, 어머니의 따뜻한 밥 한 그릇을 추억하는 사람은 절망할 수 없습니다. 슬퍼할 수도 없습니다.

긍정의 달인
나의 어머니

　나는 어머니가 다른 사람에게 섭섭한 얘기를 하는 것을 들어본 적이 없습니다. 남의 흉을 보는 것도 들어본 적이 없습니다. 어머니에게 해로움을 입힌 사람이 없을 리 없겠지만, 어머니를 서운하게 한 사람이 없을 리도 없겠지만 어머니는 항상 그 사람 입장에서 생각하고 말씀을 히십니다.

　어머니한테 누군가 섭섭하게 했습니다. 그래서 그 사람에 대해 안 좋은 소리를 하자 어머니가 말씀하셨습니다.
　"살다 보면 나한테 나쁜 일을 하는 사람도 있고, 좋은 일을 하는 사람도 있어. 나쁜 일을 하는 사람은 그만한 사정이 있겠지 하며 덮어 버리며 살아라."
　"그래도 덮어 버릴 수 없는 일도 있어요"라고 하자 "그거야 그렇

지. 그래도 덮어야지, 덮어야지, 마음을 먹어야 한다"라고 하셨습니다.

어머니는 65년을 함께 사시다가 몇 해 전에 돌아가신 아버지를 여전히 존경하고 그리워하십니다. 아버지가 어머니에게 서운하게 하신 적이 왜 없겠습니까. 그러나 어머니는 좋았던 일만 기억하십니다.

"느이 아버지가 꿈에 자꾸 나오는데 한 번도 화는 안 내고 자꾸 이거 먹어라, 저거 먹어라, 챙겨주신다. 느이 아버지가 나를 보살펴주시는 거 같다."

어머니는 요즘 노래를 자주 부르십니다. 자꾸 노래하십니다. 있는 노래뿐만 아니라 노래를 지어서 부르기도 하십니다. 어머니는 삶의 마지막을 그렇게 환하게 웃으며 좋은 기억만을 하며 축제처럼 살고 계십니다.

"나 오래 살아 니들 힘들게 해서 어떡하냐" 하시면서도 우리를 보면 볼 때마다 "이게 꿈은 아니냐……"며 좋아하시는 어머니……. 나의 어머니…….

알고도
속아 주는 마음

박찬석 전 경북대 총장의 글 중에 이런 일화가 있었습니다.

총장님의 어릴 때 학교 성적은 68명 중 68등이었다고 합니다. 아버지는 가정 형편이 어려웠지만 아들을 대구로 유학 보냈습니다.

그는 대구중학교를 다녔는데 공부가 하기 싫었습니다. 1학년 8반, 석차는 68명 중에 68등, 꼴찌를 했습니다. 부끄러운 성적표를 가지고 고향에 가는데 어린 마음에도 그 성적표를 내밀 자신이 없었습니다.

당신이 교육을 받지 못한 한을 자식을 통해 풀고자 했는데, 꼴찌라니……. 끼니를 제대로 잇지 못하는 소작농이면서도 아들을 중학교에 보낼 생각을 한 아버지를 떠올리면 그냥 있을 수가 없었습니다. 그래서 잉크로 기록된 성적표를 1/68로 고쳐 아버지에게 보여 드렸습니다.

아버지는 보통학교도 다니지 않았으므로 1등으로 고친 성적표를 알아차리지 못하리라 생각했습니다. 아버지는 1등한 아들을 자랑하기 위해 동네 사람들을 모아 놓고 잔치를 벌이셨습니다. 가난한 소작농 집안의 재산목록 1호였던 돼지까지 잡고 잔치를 하다니, 기가 막힌 일이 벌어지고 말았습니다.

그 후 아버지를 속인 일이 못내 마음에 걸린 그는 죽어라 공부했습니다. 그리고 17년 후 대학교수가 되었습니다.

그는 결혼도 하고 아이도 낳아, 아이가 중학생이 되었습니다. 부모님께 33년 전의 일을 사죄드리고 싶었습니다.

"어무이, 저 중학교 1학년 때 1등은요." 하고 말을 꺼내는데 옆에서 담배를 피우시던 아버지께서 말씀하셨습니다.

"알고 있었다. 그만해라. 민우(손자)기 듣는다."

아버지는 자식이 성적을 위조했다는 사실을 알면서도 재산목록 1호인 돼지를 잡아 잔치를 하셨던 것입니다. 자식에게 일부러 속아주고 자식 잘되라고 전 재산을 털어 잔치까지 벌인 부모님의 마음을 어떻게 헤아릴 수 있을까요.

회초리보다 더 아픈 건 바로 사랑입니다.

저 사람은
저럴 거야

　알게 모르게 우리 마음에 자리 잡고 있는 단단한 등뼈가 하나 있습니다.

　선입견, 편견의 등뼈입니다. 저 사람은 못 배웠으니 이럴 거야, 저 사람은 죄를 지은 적 있으니 또 그럴 거야, 저 사람은 집안이 이러니 저럴 거야, 저 사람은 모습이 저러니 행동이 이럴 거야…….

　이렇게 우리가 알게 모르게 갖고 있는 편견이나 선입견들이 아주 많습니다. 많이 배웠다는 소리 듣고 싶고, 좋은 데 산다는 소리 듣고 싶고, 잘 산다는 소리 듣고 싶고, 폼 난다는 소리 듣고 싶고……. 이 모든 욕망은 다른 사람에게 잘 보이려는 심리, 그러니까 다른 사람의 나쁜 편견에 속하고 싶지 않은 심리에서 비롯되었겠지요.

　알고 보면 우리가 알게 모르게 가진 편견들이 잘못된 상식이 된 것도 참 많습니다. 끝없이 이어진 모래 사막, 숨막히는 더운 바람, 어딘가 기다리고 있을 먹이를 찾아나서는 고독하고 지친 여정…… 생존의 시련과 허무로 가득한 그의 눈빛, 그의 걸음에 묻어나는 밤이슬…… 우리가 혐오하는 하이에나는 어쩌면 생존하기 위해 애쓰는, 삶에 대해 용맹하고 건강한 모습일지도 몰라요.

우리가 꺼려하는 까마귀 또한 어머니에게 모이를 물어다 주는, 새 중에서 가장 효도 잘하는 '효조'라고 합니다. 일본에서는 대단한 길조로 여기기도 하고요.

그런데 그런 편견 때문에 우리는 하이에나를 두려워하고 까마귀를 기분 나쁘게 생각합니다.

어떤 대상에 대한 선입견은 그것을 겪어 보지도 않고 미리 미워하고 미리 멀리하게 만들곤 합니다. 직업이 저러니 그럴 거야, 외모가 저러니 그럴 거야, 학력이 저러니 그럴 거야, 태생이 저러니 그럴 거야 등등…… 이런 선입견은 인간관계의 오류를 범하게 하고, 가치관의 오류를 범하게 합니다.

내가 아는 연예인 중에도 멋진 연예인이 많습니다. 그리고 평판이 안 좋아 사귀길 꺼렸던 어떤 사람도 직접 만나 보니 사람이 참 좋았던 적도 있었습니다.

거친 직업일수록 사람이 순한 경우도 많고, 남자 여자를 떠나서,

그리고 나이와 학벌과 경제 수준을 벗어나 멋지게 사는 사람들이 얼마나 많은지 모릅니다.

하물며 요즘은 혈액형에 관련된 편견까지 있는데, '외눈박이'에서 온 말인 편견, 그걸 가지고 있는 순간 정신적인 불구를 겪고 있는 것과 같습니다. 가장 시급히 깨버려야 할 정신적인 벽이 바로 선입견과 편견입니다.

허무한 다짐, "나중에······"

아버지한테서 전화가 왔습니다. 할 말이 있으니 고향에 다녀가라고 말입니다. 곧 가겠노라 대답은 드렸는데 일이 바빠 고향에 내려가지 못했습니다. 그로부터 며칠 뒤에 아버지에게 전화를 드렸더니 감기에 걸리셨다고 했습니다. 나는 따뜻한 차를 많이 드시고 병원에 가보시라고 밀하곤 진화를 끊었습니다.

그 다음 날 고향에서 전화가 왔습니다. 아버지가 위독하니 빨리 오라는 전화였습니다.

'감기에 걸렸을 뿐인데, 어제 통화했을 때도 아무렇지도 않았는데 위독하다니. 별일 아니겠지······.'

이렇게 스스로를 위로하곤 허둥대며 고향에 내려갔습니다.

병원에 갔더니 조카가 중환자실로 안내했습니다. 중환자실이라니, 아버지는 감기에 걸리셨을 뿐인데……. 황망하게 중환자실로 들어가는데 병실 앞에 가족과 친지들이 모여 있었습니다.

쿵 하는 충격에 내 가슴이 내려앉았습니다.

어머니는 울고 계셨습니다. 현실감이 들지 않았습니다. 그 어떤 말도 나오지 않았습니다. 뭔가 물어보고 싶었지만 엄두가 나지 않았습니다. 아니, 알고 싶지 않은 현실이, 믿고 싶지 않은 현실이 닥친 것 같아 불안했습니다. 떨리는 발길로 중환자실로 들어섰습니다.

산소호흡기를 매단 아버지가 의식을 잃은 채 누워 계셨습니다. 산소호흡기를 쓴 이상 말씀을 못한다고 했습니다. 이게 무슨 일인지 도저히 인정할 수도 납득할 수도 없었습니다. 아버지는 감기에 걸려 병원에 진찰을 받으러 가셨다가 그 길로 호흡곤란이 왔다고 했습니다.

"말도 안 돼. 말도 안 돼. 이런 일이 어딨어. 어제 통화할 때도 멀쩡하셨는데, 그냥 감기 기운이 있다고 하셨는데……. 말도 안 돼, 거짓말이야."

두서없는 말들이 쏟아져 나왔습니다. 울면 기정사실이 될 것 같아 나는 나오는 눈물을 밀어 넣으려 애썼습니다.

결국 아버지는 그 후 한마디 말씀도 못하고 하늘나라로 가셨습니다. 하루 전만 해도 꼿꼿이 걸어서 병원에 가셨던 분이, 그렇게 자기 관리가 철저하고 건강하시던 분이, 부축도 못하게 하시고, 습관 된다며 안마도 못하게 하시던 분이, 카리스마와 위엄이 넘치는 대장부 아버지가 고작 감기 하나에 무너지고 말았습니다.

당신 발로 걸어서 가셨는데 집에는 아버지의 구두만 돌아왔습니다. 어머니는 아버지 신발을 가슴에 품고 우셨습니다. '아버지가 할 말이 있다고 하셨는데 무슨 말씀을 하고 싶으셨던 것일까. 아버지가 오라고 할 때 갔어야 했는데……' 하지만 아무리 후회해도 소용이 없었습니다.

의식이 없는 아버지 손을 붙잡고 그동안 못했던 고백, "사랑합니다"를 부르짖어 봐도 소용이 없었습니다.

살아 계실 때 찾아뵈어야 합니다.
들으실 수 있을 때 고백해야 합니다.
느끼실 수 있을 때 손을 잡아야 합니다.
'나중에 해야지' 하고 미루면 후회만 남습니다.
나중이라는 다짐은 그렇게 허무하게 스러지고 맙니다.

착한 사람
참 많습니다

　유명한 드라마 작가인 한 선배가 바쁘게 일하던 어느 날, 큰 교통
사고를 당했습니다. 운전 중에 휴대폰이 울려서 받으려다가 차 바
닥에 떨어뜨리고 말았고, 그걸 주우려다가 좌회전하던 차와 그대
로 충돌한 것입니다.

　정신을 잃었다가 깨어 보니 차는 완전히 부서져 있고 선배는 차
밖으로 옮겨져 있었습니다. 차 주변에는 사람들이 모여들어서 사
고 처리를 하고 있었습니다. 선배의 주변에 몰려든 사람들이 선배
가 깨어나자 "정신이 드세요?"라고 묻고 걱정해 주었습니다.

　'이 사람들이 내 가족도 아닌데, 내 친구도 아닌데, 모두 나를 모
르는 사람들인데 왜 내 걱정을 해주는 걸까? 왜 저렇게 안타까운
얼굴들을 하고 있는 걸까?'

　정신을 다 차리지 못한 상태에서 선배는 그 사실이 궁금했다고

합니다.

"아주머니. 죽었다 살아나셨네요"라고 기뻐해 주는 얼굴도 낯선 타인이고, "머리 움직이지 마세요. 팔은 그냥 그렇게 하고 계세요"라고 걱정해 주는 얼굴도 낯선 타인이고, "우선 아무 생각도 하지 마세요. 안 죽었으면 된 거예요"라고 위로해 주는 얼굴도 타인이었습니다.

경찰도 마치 아들처럼 걱정하는 얼굴로 선배에게 앰뷸런스가 곧 올 거라고 안심시켜 주었습니다. 타인들이 선배를 부축해서 앰뷸런스로 옮겼고, 타인들 덕분에 병원에 안전하게 갈 수 있었습니다. 그 후 오랫동안 병원 신세를 지는 동안에도 같은 생각을 했습니다.

'참 착한 사람들이 많구나. 남의 불행을 내 일처럼 걱정해 주고 남의 아픔을 내 아픔처럼 함께 겪어 주는 사람들, 바쁜 발걸음을 멈추고 남에게 달려가는 사람들이 생각보다 정말 많구나.'

사람들이 바쁜 발걸음을 멈추고 달려와 주었고, 생면부지의 그들이 마치 자기 일인 양 사고를 수습하고 안타까워하고 걱정하는 걸 보면서 생각이 크게 달라졌습니다.

그전에 선배는 사실 타인을 믿지 못했다고 합니다. 자기 이익만을 추구하려고 아귀다툼하는 사람들이 바로 타인이라고 생각했습니다. 그런데 교통사고가 난 다음부터, 선배는 누구를 만나면 이 말부터 하게 되었습니다.

"착한 사람들, 정말 많아!"

그리고 누구에게도 도움을 받지 않으며 살고자 했던 마음도 크게 변했습니다.

사고를 당하고 보니 혼자 할 수 있는 일이라고는 하나도 없었지요. 119를 불러 주는 사람도 타인이었고, 병원으로 데려다 주는 사람도 타인, 다친 몸을 고쳐 준 사람도 타인이었습니다.

선배는 사고를 통해 따뜻하고 착한 사람들이 이 세상에는 참 많다는 사실, 우리는 누구나 그렇게 서로 기대고 살아야 한다는 사실을 굳게 믿게 됐습니다.

우리 주변에는 마음이 따뜻하고 타인의 불행에 가슴 아파하는 착한 사람들이 참 많습니다. 그리고 우리는 다 모자란 존재이기 때문에 서로서로 기대고 살아야 한다는 사실도 자주 느끼게 됩니다.

외로운 타인에게 내 어깨를 내주는 일, 그리고 추운 등을 서로 기대는 일, 그게 곧 우리가 살아가는 일이겠지요.

내 마음의
몰래카메라

12월 31일이 되면 해마다 짐을 꾸립니다. 1월 1일 첫새벽에 떠오르는 새 태양을 보기 위해 바닷가로 향하기 때문입니다. 그해가 유난히 힘든 해였다면 나의 발길은 동해로 향합니다. 기운차게 불쑥 출몰하는 거대한 태양을 보면서 새롭게 기운을 얻고 싶어서입니다. 반대로 일이 술술 잘 풀리고 기쁜 일이 많았던 해에는 서해로 행선지를 정합니다. 몸을 낮춰 조용히 떠오르는 해를 보면서 더 낮아지고 겸손해지기 위해서입니다.

그런데 몇 해 전 11월, 낙엽이 노란 폭우처럼 내리던 날에 갑자기 아버지가 돌아가셨습니다. 11월과 12월 내내 아버지의 부재가 실감나지 않았습니다. 전화를 걸면 언제나처럼 아버지가 명대사를 날려서 나태한 내 정신을 바짝 들게 해주실 것 같았습니다. 12월 말

일이 되자 문득 아버지가 이 세상에 계시지 않다는 것이 실감 났습니다. 이제 아버지가 계시지 않는 새해를 맞이해야 한다는 생각에 가슴이 덜컥 내려앉았습니다.

어렵게 비행기 표를 구해 제주도에 갔습니다. 새해마다 모든 바닷가를 다녔으면서 왜 고향 바다만은 가지 않았을까요? 부모님의 손을 잡고 새로운 해를 맞이하면서 부모님의 눈동자 안에서 희망을 발견해 볼 수도 있었을 텐데 말입니다.

이제 혼자 남은 어머니의 손을 잡고 바닷가로 나갔습니다. 바다 기슭에 도착하자 거짓말처럼 수평선 너머로 해가 떠오르기 시작했습니다.

어머니가 갑자기 노래를 부르기 시작했습니다.

"낙엽 질 때 떠나신 당신, 해가 뜨면 오신다더니 왜 안 오시나요."

단 한 번도 들어본 적이 없는 노래였습니다. 무슨 노래냐고 물었더니 "있는 노래만 부르냐? 내가 지어서 불렀다"라고 하셨습니다. 그리고 "너희 아버지는 하늘에 가서 뜨는 태양이 됐을 거다. 절대 지는 달님은 안 하려고 했을 거다"라고 하시더니 눈시울이 젖은 채 소원을 빌듯 말씀하셨습니다.

"나도 당신 있는 곳으로 얼른 데려가요."

왜 그런 소리를 하냐고 불퉁거리며 화를 내자 어머니는 "내가 행복하면 니들도 행복하다고 했잖니. 나는 아버지 곁이 제일 행복해. 아버지 곁에 가고 싶다"라고 말씀하셨습니다.

나는 어머니 소원은 무효라고, 어머니는 오래오래 우리 곁에 계셔 달라고 말했습니다. 그리고 손나발을 만들어 이렇게 외쳤습니다.

"매일 새롭게 태양이 뜨면 아버지라고 생각할게요."

그날부터 내 마음에는 태양 모양의 몰래카메라가 하나 장착되었습니다. 아버지 몰래카메라가……. 그래서 게으를 수도 절망할 수도 없습니다. 아버지에게 찍히면 안 되니까요.

엄마 찾아
삼 만 리

해외토픽을 읽다가 중국의 한 청년 이야기가 내 마음을 붙잡았습니다. 실종된 어머니를 찾기 위해 17년 동안 천여 개 마을을 돌아다닌 청년의 이야기였습니다. 어머니를 잃어버렸을 때 열세 살이었던 소년은 이제 서른 살 청년으로 성장했습니다.

글도 모르고 사람들과 이야기하는 것도 서툰 어머니가 실종되자 소년은 다음 날부터 어머니를 찾아 온 동네를 수소문했습니다. 하지만 아무런 소식도 듣지 못했습니다. 소년은 막노동으로 돈을 벌며, 어머니를 찾으려고 전국 방방곡곡을 돌아다니는 일을 병행했습니다. 하지만 어디를 다녀도 어머니를 본 사람은 없었습니다.

한 해, 두 해……. 오랜 세월이 흘러갔고 모두가 그를 만류했습니다. 어머니 찾는 일을 이제는 포기하라고 말입니다. 하지만 그는 도저히 어머니 찾기를 포기할 수 없었습니다.

그런데 어머니를 잃은 지 17년이 다 되어 갈 즈음, 한 농촌에서 꿈에 그리던 어머니를 만났습니다. 그날도 그는 좌판을 벌여 놓고 장사하는 할머니에게 다가가 습관처럼 이것저것을 물었습니다. 그러다가 그 할머니가 바로 어머니라는 사실을 알게 되었습니다.

17년이 흘렀으니 어머니는 많이 늙으셨고 소년이던 아들도 이제 청년이 되었습니다. 어머니와 아들은 부둥켜안고 그동안 참아 왔던 울음을 쏟았습니다.

아들은 다음 날 곧바로 어머니를 모시고 고향 마을로 돌아왔습니다. 그리고 다시는 헤어지지 말자고 다짐하며 그동안 못다 한 효도를 하겠다고 약속했습니다. 아들은 어머니를 찾으려고 전국 각지를 돌아다니며 온갖 고생을 한 탓에 서른 살이라는 나이가 믿기지 않게 늙어 있었습니다.

17년 동안 전국을 헤매고 다니다 결국 어머니를 찾은 중국의 청년도 있지만, 나는 주변에서 어머니를 위해 잘나가던 직장을 포기한 사람도 보았습니다. 그는 얼마 후면 돌아가실 어머니를 보살피기 위해 서울의 좋은 직장을 그만두고 지방으로 내려갔습니다. 그리고 어머니에게 한 번도 드리지 못한 꽃을 선물하고, 어머니가 좋아하는 음식을 같이 먹고, 어머니 곁에 늘 있어 드렸습니다.

내가 세상에 나오게 된 이유이며 내가 살아가는 증거인 어머니. 그런데 그런 어머니를 인생의 짐이자 혹으로 느끼는 사람들도 있습니다. 그러나 어머니 곁에 있을 수만 있다면, 어머니 얼굴을 더 볼 수만 있다면, 그저 어머니와 함께하는 시간만이 인생을 걸 만한 커다란 소망인 사람들도 이 세상에는 참 많습니다.

부르기만 해도 가슴을 꽉 채우는 사랑의 이름을 불러 봅니다.
어머니.

쉽지만
어려운 일

아무도 안 보는 곳에 가방 하나가 놓여 있습니다. 가방을 열어 보니 현금이 가득 들어 있습니다. 눈으로 보기만 해도 억대가 훨씬 넘을 듯합니다. 주변을 둘러보니 아무도 없습니다.

순간 스치는 얼굴들이 있습니다. 선물다운 선물도 못 해준 아내의 얼굴, 오랫동안 병원에 입원해 계시는 어머니 얼굴, 학원비 걱정하는 자녀들 얼굴, 빚 독촉에 쫓기는 동생의 얼굴…….

돈이 가득 들어 있는 가방을 손에 듭니다. 아직도 주변에는 보는 사람이 아무도 없습니다.

이럴 때, 당신이라면 어떻게 하겠는지요?

우체국 직원들이 엮은 《함께 펼치는 희망의 날개》라는 제목의 미담집을 보다가 이 이야기를 접했습니다. 서울의 우체국에서 근무하는 그는 KTX를 타고 부산으로 내려가던 길에 옆자리에서 가방 하나를 발견했습니다. 부산에 거의 도착할 때가 되었는데도 주인이 찾아오지 않자 가방을 열어 보았습니다. 거기에는 5만 원권 2천만 원에다가 1만 원권과 수표를 합해 모두 1억 2천만 원이 들어 있었습니다.

기차에서 내리자마자 가방 안에 있는 수첩의 연락처로 전화를 걸었습니다. 가방을 잃어버린 70대 노인은 아산에 사는 아들의 가게 계약금을 마련해 급히 올라가던 중이었습니다. 그런데 그만 가방을 놓고 내린 것을 알고 망연자실한 상태였습니다.

이 일은 부산체신청에 한 통의 편지가 도착하면서 알려졌습니다. 노인이 돈가방을 찾아 준 그에게 고마움을 표현하기 위해 감사편지를 보낸 것입니다.

"당연한 일을 했는데 왜 이러십니까?"

선행을 베푼 사람들이 늘 하는 말을 그 역시 했습니다.

다른 사람의 돈이니 돌려주는 것이 당연합니다. 하지만 당연한 일을 당연하게 행하기가 얼마나 어려운지 유혹에 흔들려 본 사람이면 알 것입니다.

작고 소박하지만 참 아름다운 이런 선행은 희망의 파장이 되어 다른 사람의 가슴까지 전달됩니다. 그래서 다른 사람의 마음에 희망을 품게 합니다. 악행의 파장은 확산이 빠르지만 선행의 파장은 깊고 아름답게 퍼져 나갑니다.

"꿈도 전염된다"는 말이 있습니다. 이 세상이 아름답다는 희망을 사회에 전해 주었다는 사실, 그것만으로도 대단한 일을 해낸 것입니다. 그러니 결국 작은 선행을 베푸는 사람들이야말로 세상을 변화시키는 진정한 개혁자들입니다.

나는 참
운이 좋습니다

일본 마쓰시다 전기의 창업자이며 '현대 경영의 신神'으로 불리는 마쓰시다 고노스케는 신입사원 면접 때 반드시 이런 질문을 했다고 합니다.

"당신의 인생은 지금까지 운이 좋았다고 생각합니까?"

그는 아무리 우수한 인재여도 운이 좋지 않았다고 대답하는 사람은 채용하지 않았습니다. 반대로 운이 좋았다고 대답하는 사람은 전원 채용했습니다.

왜 그는 우수한 사람보다 스스로 운이 좋다고 생각하는 사람을 더 선호했을까요?

그는 "나는 운이 좋았다"라고 말하는 사람의 마음에는 주변에 대한 감사의 마음이 반드시 담겨 있다고 보았습니다.

주변 사람들의 도움으로 여기까지 왔다고 생각하는 사람, 지금은 우수하지 않더라도 감사의 마음을 지닌 사람, 그런 사람은 반드시 좋은 인재로 성장한다는 것이 인사 관리의 철학이었던 것입니다. 그리고 그렇게 채용된 사람들은 정말로 많은 능력을 발휘해서 회사가 괄목할 만한 성장을 했다고 합니다.

"당신의 인생은 지금까지 운이 좋았다고 생각합니까?"

이 질문을 받는다면 뭐라고 대답하겠습니까? 주변을 둘러보면 일을 잘하고 그 분야에서 이른바 성공이란 것을 이룬 사람들은 하나같이 "나는 참 운이 좋았다"라고 말합니다. 그리고 "나는 참 인복이 많다"라고 이야기합니다. 반대로 "나는 실력은 좋은데 운은 없다"라고 말하는 사람은 언제나 불만에 가득 차서 성과를 이루지 못하는 모습을 보곤 합니다.

인생에서 승자가 되는 조건은 어쩌면 '나 잘난 맛'에 사는 게 아니라 '남 잘난 맛'에 사는 데 있는 건 아닐까요?

언니를 낳아 줘서
고마워요

언니는 대학 다닐 때 정말 낭만파였습니다. 비 온다고 학교 빠지고, 눈 오는 날 어떻게 강의실에 있느냐며 방황하고, 낙엽 진다고, 바람 분다고 거리를 거닐던 언니.

한 번도 강의를 안 빠진 나와 동생과는 다른 언니가 어쩌면 가장 작가답지 않나 싶습니다. 작가란 마음의 폭풍을 어쩌지 못하는 천형을 갖고 태어난 사람들이니까요.

마음 안으로 폭풍이 휘몰아치는데 나처럼 그 폭풍을 사전에 잠재워 버리는 현실파가 있고, 폭풍이 이는 대로 두는 언니 같은 낭만파가 있습니다. 하지만 언니도 끝까지는 못 가고 그저 거리를 헤매거나 커피숍에 앉아 창밖을 하염없이 보는 정도에 그쳤습니다. 그런 언니가 지금은 바람이 부나 비가 오나 눈이 오나 한결같이 그 시간에 방송 대본을 쓰고 방송국에 나갑니다. 참 신기합니다. 언니는 책임감 때문이라고 하지만 언니가 좋아하는 일이기 때문이 아닐까요.

언니는 일을 하면서 동시에 놀기도 하는 것 같습니다. 힘들긴 해도, 머리가 빠개지긴 해도, 그래도 힘든 줄 모르고 아픈 줄 모르고 신명 나서 하는 것입니다. 그게 바로 천직이라는 거겠지요.

나 역시 그렇습니다. 드라마 작가라는 직업이 고속도로 닦는 일보다 더 힘든 일이지만 그래도 그 힘든 걸 잊어버릴 때가 많습니다. 그냥 신이 나서 하는 것입니다.

언니 말대로 접시를 돌리는 일에도 신명이 나고 리듬을 타야 떨어뜨리지 않을 수 있는 것처럼 우리도 지금 하는 일을 은연중에 즐기고 있는 거겠지요.

얼마나 좋아요? 바람 불면 바람 부니까 원고가 나와 주고, 눈이 오면 눈이 와서 원고가 더 나와 줍니다. 낙엽 지면 완전 땡큐입니다. 감성이 극도로 발달하니까요. 그러므로 우리에게 사계절은 모두 영업계절인 셈입니다.

곧장 걸어가는 길에서 어디로 확 휘고 싶은 마음도 다 글로 풀어내는 직업……. 이 직업을 언니도 나도 사랑합니다. 마치 애인처럼…….

그래요. 글로 연애하는 걸 겁니다. 나도 언니도…….

나와 아주 다른데 또 아주 똑같은 송정연 작가……. 그녀를 언니로 둔 나는 정말 행복합니다. 언니의 생일날, 그녀를 언니로 두게 해 주신 엄마에게 올해에도 나는 전화를 드렸습니다.

　　"엄마, 언니를 낳아 줘서 고마워요."

아름다운
청년

친구가 지하철을 타고 집에 갈 때의 일이었습니다. 어느 취객이 이 사람 저 사람에게 시비를 걸기 시작했습니다.

"이봐! 젊은 놈이 왜 눈을 똑바로 뜨고 쳐다봐!"

만취한 남자 때문에 사람들은 불안에 떨었습니다. 그 취객은 급기야 가만히 앉아 있는 외국인에게 가서 시비를 걸었습니다. 입에 올리기도 부끄러운 욕을 하면서 "너네 나라로 가버려!"라고 소리치는 취객에게 외국인은 쩔쩔매고 있었습니다.

친구는 취객에게 한마디 하고 싶었지만 워낙 만취한 데다 체격도 우람해서 엄두가 나지 않았습니다.

그때 20대 후반으로 보이는 한 청년이 취객에게 다가갔습니다.

"아저씨, 많이 취하셨네요?"

취객의 관심이 금세 청년에게 옮겨 갔습니다.

"넌 뭐야!"

청년은 웃으며 차분한 말투로 말했습니다.

"취하셨으면 댁에 들어가서 일찍 주무세요."

취객은 청년에게 욕지거리를 퍼부으며 주먹을 휘두르려 했습니다. 그러자 청년은 재빨리 그를 뒤에서 안았습니다.

마침 정류장에 지하철이 섰습니다. 청년은 취객의 팔을 뒤로 낀 채 정류장에 얼른 내렸습니다. 전철 안에 탄 사람들은 모두 어떻게 되었나 싶어서 내다보았습니다.

청년은 취객의 팔을 놓아주고는 정중하게 인사했습니다.

"얼른 집에 들어가서 편히 주무세요!"

그러고는 청년은 다시 전철에 서둘러 올랐습니다.

취한 사람이 다치지 않게 잘 배려하고 정중하게 인사까지 한 후에 재빨리 전철에 오르는 청년을 보고 친구가 감탄했습니다. 취객이 우물쭈물하는 사이에 전철은 다시 출발했고 전철에 오른 청년은 아무 일도 없었다는 듯 밝은 표정을 지었습니다. 취객 한 사람 때문에 불안에 떨던 사람들은 모두 평화로운 얼굴이 되었습니다.

청년에게 친구가 다가가 물었습니다. 취한 남자가 무섭지 않았느냐고……. 그러자 청년이 쑥스럽게 웃으며 말했습니다.

"우리 아버지도 그 아저씨처럼 술을 많이 드시거든요."

취객을 아버지처럼 생각한 청년이, 그래서 안전하게 내려 드리고 전철 안의 평화를 찾아 준 그 청년이, 그 어떤 스타보다 빛나 보였습니다.

타인은 미처
만나지 못한 가족

엘리베이터에 올랐습니다.

먼저 타고 있던 사람이 방긋 웃으며 인사를 건넸습니다.

"안녕하세요?"

이웃 사람의 인사에 자연스럽게 웃으며 인사를 건네게 됩니다.

"안녕하세요?"

"많이 춥지요?" 하고 날씨 이야기도 합니다.

우리나라에 닥친 문제라든지 우리 동네에 대한 이야기를 서로 나
누기도 합니다. 그런가 하면 같은 세대로서 공감할 만한 말들을 나
누기도 합니다.

"시장 보셨나 봐요. 요즘 물가가 너무 올라 걱정이에요."

"우리 애는 사춘기라서 요즘 속을 모르겠어요. 그 집 애는 속 안 썩여요?"

문득 서로 같은 시대, 같은 공간에 살고 있다는 사실을 절감하면서 동료 의식을 느끼게 됩니다. 그리고 왠지 모를 정감을 느끼게 됩니다. 그래서 옷깃만 스쳐도 인연이라는 말이 있는 걸까요?

"타인이란, 아직 미처 만나지 못한 가족일 뿐이다"라고 미치 앨봄은 《에디의 천국》에서 이렇게 말했습니다. 이 말대로라면 오늘 만난 버스 기사가 우리 삼촌일 수도 있고, 지나가는 학생이 내 조카일 수도 있습니다. 신문 배달하는 청년이 내 동생일 수도 있고, 거리를 지나는 행인이 내 누님일 수도 있고, 지나가는 노부부가 우리 부모일 수도 있습니다.

그러니 서로 이해하지 못할 일도 없고 서로 용서하지 못할 일도 없습니다. 타인은 남이 아니라 미처 만나지 못한 가족이니까요.

단
5분만이라도

동화작가 정채봉 선생은 생전에 이렇게 글을 썼습니다.

하늘나라에 가 계시는 엄마가 하루만 휴가를 얻어 오신다면 아니, 단 5분만 오신대도 나는 원이 없겠다고. 그러면 얼른 엄마 품속에 들어가 엄마와 눈맞춤을 하고 숨겨 놓은 세상사 중 딱 한 가지, 억울했던 그 일을 일러바치고 엉엉 울겠다고요.

지금 내 곁에 있어 주는 사람도 언젠가는 그렇게 그리워질 겁니다.
그래서 단 하루만, 아니 반나절만, 아니 단 5분만이라도 함께 있었으면 하고 간절히 바라게 될지도 모릅니다.

그러니 지금 곁에 있을 때 함께하고 싶은 일들을 마음껏 하고,

하고 싶은 말들을 마음껏 나누고, 건네고 싶은 선물도 마음껏 주고……. 그래서 먼 훗날 작별할 때가 오면 원 없이 사랑했노라, 그렇게 회고하게 됐으면 좋겠습니다.

희망 기차의
플랫폼

요즘 주변에 금전적인 이유로 고민하는 이들이 많습니다. 극단적인 선택을 거론할 만큼 힘든 고비에 있는 분들도 많습니다. 그런데 무려 1,904건의 특허를 따낸 발명왕 에디슨은 특허료만 해도 엄청났겠다는 생각이 듭니다. 하지만 그는 과연 억만장자였을까요?

에디슨은 특허료가 들어오면 그 돈으로 또 다음 연구를 시작했다고 합니다. 그리고 그것도 모자라 빚까지 얻어가면서 연구비로 쏟아 붓느라 빚더미에 올라앉았습니다. 그래서 일 년 내내 에디슨은 빚을 얻으러 다녔다고 합니다. 그렇게 늘 도산 일보 직전에 있던 에디슨은 위기감 때문에 발명을 해야 했고, 빚을 갚으려고 늘 연구를 해야 했습니다.

프랑스 근대문학의 창시자인 발자크도 에디슨 못지않았습니다.

90여 편의 장편소설을 발표한 사실주의의 거장인 그 역시 부채를 갚으라는 빚쟁이들의 독촉에 늘 시달렸다고 합니다. 그는 빚에 쪼들려 끊임없이 원고를 써내야 했습니다. 특히 빚 갚을 날이 다가오면 밤을 꼬박 새우거나 하루에 열여덟 시간씩 원고를 써야 했습니다.

에디슨의 위대한 발명품과 발자크의 주옥같은 명작들은 어쩌면 경제적인 궁핍함이 탄생시킨 것인지도 모르겠습니다. 그리고 보면 '궁핍은 창조의 어머니'라고 해도 과언이 아닐 듯합니다.

최수철의 소설《얼음의 도가니》에는 이런 구절이 나옵니다.

지금 나는 자학을 하고 있구나. 모든 것이 너무 늦어 버린 것이라고 생각하고 있구나. 그 상태에서 나는 어떤 소리를 듣는나. 우리 일상의 벼랑 한쪽 옆에는 항상 기차의 철로가 깔려 있다.

요즘 마치 벼랑 끝에 선 심정인 분들이 참 많은 듯합니다. 하지만 그 벼랑 한쪽 옆에는 항상 기차의 철로가 깔려 있다고 하지요. 그 위를 지나는 기차 소리에 귀를 잘 기울여 보시기 바랍니다. 희망의 플랫폼에 푸른 기차가 도착할 시간이 그리 멀지 않았습니다.

잘되면 좋고,
아님 말고!

　화가에, 수학자에, 발명가였던 레오나르도 다빈치. 하루 종일 바쁘게 사는 그에게 치명적인 약점이 하나 있었습니다. 바로 아침잠이 많다는 것입니다. 그림도 그려야 하고 수학 공식도 발견해야 하고 발명도 해야 하는데 끈덕지게 달라붙는 아침잠은 큰 골칫거리였지요. 생각다 못한 레오나르도 다빈치는 자명종 시계를 발명합니다.

　그 자명종은 소리만 울리는 얌전한 시계가 아니었습니다. 맞춰놓은 시간이 되면 시계가 사람의 발을 마구 흔들었습니다. 그러니 귀찮아서라도 일어나야만 했습니다. 자명종 시계는 발명가에게 너무나 골칫거리였던 고약한 아침잠 덕분에 탄생했습니다.

　그리 거창한 것이 아닌, 아주 사소한 이유에서 큰 성과가 이룩되는 경우가 많습니다. 거창한 이유를 내건 목표는 자칫 사람을 지치게 합니다. "꼭 이루고 말 거야"라는 굳은 각오가 오히려 그 길을 향해 내딛는 발걸음을 무겁게 붙잡기도 합니다. 뭔가 커다란 모래주머니를 달고 걷는 것처럼 생이 무겁게 느껴지는 날이면 아주 사소한 계기에서 시작하여 뭔가를 해낸 사람들의 이야기를 찾아보는 것도 좋겠습니다.

일흔이 넘은 나이에 걸어서 아메리카 대륙을 횡단한 할머니가 있습니다. 그 할머니가 아메리카 대륙 횡단을 끝마쳤을 때 세계 각지에서 취재하려고 몰려들었습니다. 적지 않은 나이에 과연 어떤 목적으로 대륙을 걸어서 횡단했는지 기자들은 할머니의 거창한 답변을 기대하며 몰려들었습니다. 그런데 할머니는 이렇게 대답했습니다.

"처음부터 대륙을 횡단할 생각은 전혀 없었어요. 그래서 해낼 수 있었답니다."

그렇다면 70대의 나이에, 이 할머니는 어떤 마음으로 아메리카 대륙을 걷기 시작했을까요? 그것은 바로, 어린 손자에게서 받은 운동화 한 켤레 덕분이었습니다.

손자가 코 묻은 용돈을 모아 할머니에게 운동화를 선물했습니다.

할머니는 운동화를 자랑하고 싶어서 어쩔 줄 몰랐습니다. 그러다가 문득 생각했습니다.

'이걸 자랑하러 친구가 사는 곳까지 한번 걸어가 볼까? 무릎이 아프면 중간에 택시를 타면 되지 뭐!'

이렇게 멀리 사는 친구에게 걸어갔던 것이 아메리카 대륙 횡단의 시작이었습니다.

"가다가 힘들면 돌아가면 되지!" 하는 편한 마음이 가끔은 필요합니다. 어떤 일을 할 때 "꼭 해내고 말 거야"라는 굳은 의지도 좋지만, "안 돼도 좋지만 최선은 다해 봐야지" 하며 어깨에 힘을 빼는 것이 더 좋은 성과를 내기도 합니다.

거창한 목적보다는 그저 즐겁게 내가 할 일을 하겠다, 기쁘게 사람들을 대하겠다는 마음으로 발걸음을 옮겨 보면 어떨까요?

너무 무거운 각오는 자칫 출발부터 지치게 만들기도 합니다.
너무 엄숙한 결심은 자칫 자괴감을 심어 주기도 합니다.

손자가 선물한 운동화를 자랑하려고 아메리카 대륙을 걷기 시작한 할머니처럼 가벼운 결심으로 걸어가 보는 것도 좋겠습니다.
"잘되면 좋고! 안되면 그런 대로 최선을 다하니 좋고!"

이렇게 편안하고 자유로운 마음으로 다시 시작해 보는 것도 좋겠습니다. 그러면 뜻밖의 성과를 이루게 될지도 모를 일입니다.

그 아버지의 아들을 믿기 때문에

　어느 책에선가 이런 일화를 본 적이 있습니다.

　환경 미화원인 아버지는 아이에게 옷 한 벌 사줄 수가 없었습니다. 그런데 어느 날 아이가 고급 브랜드의 청바지를 입고 들어섰습니다. 가슴이 덜컥 내려앉은 아버지는 아들에게 다그쳐 물었고, 아이는 성화를 이기지 못해 사실을 털어놓았습니다.

　"죄송해요. 버스 정류장에서 손지갑을 훔쳤어요."

　아버지는 하늘이 무너지는 충격으로 몸을 가눌 수 없었습니다.

　"환경이 어렵다고 잘못된 길로 빠져서는 안 된다."

　아버지는 아들의 손을 잡고 경찰서로 갔고, 결국 아들은 법정에 서게 됐습니다. 그리고 착하기만 했던 아들이 가난한 환경 때문에 나쁜 길로 빠진 것을 슬퍼하다가 아버지는 그만 심장마비로 세상을 떠나고 말았습니다.

재판 날, 법정에서 어머니가 울먹이며 말했습니다.

"아들이 올바른 사람이 되도록 엄한 벌을 내려 주세요. 아이 아버지도 그걸 원할 겁니다."

아들은 아버지가 자기 때문에 돌아가셨다며 참회의 눈물을 흘렸습니다. 판결할 시간이 되자 판사는 소년을 처벌하지 않겠다고 결정했습니다. 그 이유를 판사는 이렇게 말했습니다.

"우리는 이처럼 훌륭한 아버지의 아들을 믿기 때문입니다."

자식의 잘못을 감싸 주는 것을 부모 사랑으로 잘못 알고 있는 세상이지만, 잘못을 저지른 자식의 손을 잡고 경찰서로 찾아가는 부모도 있습니다. 부모가 자식을 사랑하는데 방법이 따로 있냐고 할지 모르지만 자식 사랑에도 원칙이 있다고 이 이야기는 전해 줍니다.

부모가 자식을 무조건적으로 사랑하는 일은 어쩌면 쉬울지도 모릅니다. 마음의 결을 따라 흐르면 되기 때문입니다. 가슴이 찢어져도 자식의 앞날을 위해 회초리를 드는 마음, 심장이 조각나도 자식의 인생을 위해 이를 악무는 마음. 그것이 진정한 부모의 사랑입니다.

우리가 여기까지 오는데 부모님의 마음은 몇 번이나 피를 흘리고 깨지고 조각이 나야 했을지, 자식 몰래 얼마나 많은 세월을 울어야 했을지 헤아리게 됩니다.

순수의
힘

어느 가을날 유치원에서 돌아온 아이의 가방을 열어 보니 책 대신 은행잎이 가득 들어 있었습니다. 노란 은행잎이 너무 예뻐서 책은 다 꺼내 버리고 은행잎을 가득 담아 온 아이…… 어머니는 그저 웃을 수밖에 없었습니다.

아이는 요즘 유치원 가는 길에 동백나무 아래에서 오래 머뭅니다. 뚝뚝 떨어지는 꽃잎이 아까워서 가방 속 책을 다 꺼내고 동백 꽃잎을 주워 담느라 바쁘거든요.

당신은 "책은 어디다 두고 꽃잎을 담아 왔니?"라고 야단을 치는 어른인가요? 아니면 "네가 꽃을 그렇게 사랑하니 나도 참 기쁘다"라고 머리를 쓸어 주는 어른인가요?

하염없이 땅에 떨어지는 꽃잎을 가방에 가득 담아 온 아이의 마음.

아이들은 우리가 잃어버린 마음을 일깨워 주는 순수의 시인이며,

무엇이 더 소중한지 알려 주는 삶의 철학자입니다.

3장

행복의 냄새

세상에서
가장 아름다운 배웅

74세 노인이 99세 어머니와 900일 동안 여행을 떠난 이야기가 있습니다. 그들의 교통수단은 '수레를 매단 세발자전거'였습니다. 중국 흑룡강에 사는 74세 노인 왕일민 씨가 99세 어머니를 위해 세상 나들이를 떠난 이 이야기는 다큐멘터리 영화로 만들어졌고, 《어머니와 함께한 900일간의 소풍》이라는 책에도 담겨 있습니다.

어머니는 "서장까지 갈 수 있을까?"라며 아주 먼 곳에 있는 그곳에 가고 싶어 하셨습니다. '세계의 지붕'이라고 불리는 그곳, 하늘과 가장 가까운 땅인 서장을 어떻게 아셨는지, 왜 그곳에 가고 싶어 하시는지 이유는 알 수 없었지만 어머니가 가고 싶어 하셨기에 아들은 그곳을 향해 출발했습니다. 돈이 없어 비행기를 타지 못하고 자동차도 없는 아들은, 어머니를 태울 자전거 수레를 만들어 놓고 흐

못해합니다.

"어머니, 거기 그렇게 앉아 계세요. 편히 앉아서 세상 구경하세요. 이 아들이 자전거 수레를 끌고 가겠습니다."

평생 희생만 하며 늙어 온 어머니를 위해 아들은 열심히 페달을 밟았습니다. 어머니는 아들이 힘들까 봐 "천천히 가라"고 하면서도 하나 남은 이를 드러내며 환히 웃곤 했습니다. 중간에 병원 신세를 지기도 하고, 노숙을 하기도 여러 날이었습니다. 길에서 먹고, 냇가에서 빨래를 해가며 아들과 어머니는 900일 동안의 소풍을 즐깁니다.

어머니는 원하던 서장까지 가지는 못했습니다. 103번째 생일을 앞두고 어머니는 눈을 감으며 이렇게 말합니다.

"너와 세상 구경하는 동안이 내 인생에서 가장 행복한 순간이었어."

남겨진 아들은 서장에 가고 싶다는 어머니의 꿈을 이루기 위해 유골을 수레에 싣고 7개월간 더 자전거 페달을 밟았습니다. 그리고 어머니의 유해를 서장에 뿌렸습니다.

어머니가 뿌연 바람이 되어 늙은 아들의 볼을 쓰다듬는 것이 느껴졌습니다. 조용히 달아나는 바람을 향해 아들은 마지막 인사를 드렸습니다.

"안녕히 가세요, 어머니. 저도 이생에서의 소풍을 마치고 어머니께 돌아가면 말하렵니다. 어머니와 마주 보며 웃었던 그 순간들이 제 생에 가장 빛나던 날들이었다고요."

평생 산골에서 일하느라 허리가 굽고 치아는 하나밖에 남지 않은 99세의 노모를 위해 손수레를 만들어 900일 동안 여행한 74세 아들. 그들의 이야기에 이런 제목을 붙이고 싶어집니다. '세상에서 가장 아름다운 배웅'이라고요. 효도와 인간적인 도리, 이런 거창한 것들을 다 떠나서 가장 아름다운, 사랑하는 사람들의 이별 방식을 배웠습니다.

"당신과 함께하는 시간이 내 생에 가장 행복했습니다."
이렇게 작별 인사를 전할 수 있다면, 그 삶은 충분히 즐거운 소풍 날들이겠지요.

당신 생각을 켜놓은 채
잠이 들었습니다

암 선고를 받은 지 얼마 안 돼 세상을 떠난 친구는 참 아름다운 생을 살다가 갔습니다.

사랑을 했으니까요.

그 친구는 결혼하기까지 참 많은 어려움을 겪어야 했습니다. 가난한 집 딸에 학벌이 보잘것없었다며 남자 집에서 반대가 심했습니다. 그 과정이 너무 힘들어서 친구는 포기하고 싶어 했습니다. 그러나 남자가 친구의 손을 잡고 끝까지 놓지 않았고, 두 사람은 끝내 결혼에 골인했습니다.

그때는 두 사람 다 공부 중이었는데 시댁에서 학비 지원이 뚝 끊겨 버렸습니다. 생활비 지원은 바랄 수도 없었습니다.

아내는 남편을 위해 학업을 그만두고 생활 전선에 뛰어들었습니다. 남편이 학교를 그만두려고 했지만 아내는 극구 말렸습니다. 그리고 접시닦이부터 미용실 보조까지 안 해본 일 없이 하며 남편의 학비를 대고 생활비를 마련했습니다.

가난했지만 두 사람은 행복했습니다.

결혼한 지 20년이 지난 어느 날, 그 친구를 만났습니다. 20년이 지났는데도 친구는 아직도 남편을 보면 가슴이 떨린다고 했습니다. 모여 있던 친구들이 "넌 남편을 보면 가슴이 떨리니? 난 치가 떨리는데"라며 깔깔 웃었습니다.

그 친구는 결혼하고 나서 살아갈수록 남편을 더 사랑하게 되었다고 고백했습니다. 그 친구의 얼굴이 참 행복해 보였습니다.

그러던 어느 날, 충격적인 소식이 전해졌습니다. 친구가 암에 걸렸다는 것입니다. 청천벽력 같은 소식을 듣고 친구가 입원한 병원에 달려갔습니다. 그런데 친구의 남편이 비니 모자를 쓰고 있었습니다. 모자를 벗으니 남편의 머리는 파르라니 깎여 있었습니다.

놀란 얼굴로 "머리가 왜……."라고 우문을 던지자 그는 씩 웃으며 대답했습니다.

"재밌잖아요."

아무렇지도 않게 대답했지만 그의 눈에는 눈물이 맺혀 있었습니다.

아내가 항암 치료에 들어가면 머리가 빠질 테니 자신이 먼저 머리를 밀어 버린 것이었습니다. 광고도 아니고 영화도 아닌, 현실에서 보는 그 광경에 가슴이 뭉클해졌습니다. 왜 친구가 아직도 남편을 보면 설렌다고 했는지 알 수 있었습니다.

친구는 사랑하는 사람의 살뜰한 배웅을 받으며 세상과 작별했습니다. 세상을 떠나는 그 순간에도 남편의 손을 꼭 잡은 채, 세상을 떠나는 그 순간까지도 가슴 떨리는 사랑을 간직한 채 떠났습니다. 그렇게 평생 서로 사랑하는 부부의 모습이 참 아름답습니다. 사랑을 지키기 어려운 시대에 그 사랑을 더 가꾸어 나가고, 날이 갈수록 더 깊이 사랑했던 친구 부부는 운명이 삶과 죽음으로 서로 갈라놓은 그 후에도 여전히 사랑하고 있는 듯합니다.

당신 생각을 커놓은 채
잠이 들었습니다

함민복 시인의 시 〈가을〉처럼 언제나 사랑을 커놓은 채 잠들 테니까요. 뼛속 깊이 절절한 보고픔도, 한시도 잊을 수 없는 그리움도 사랑은 사랑이니까요.

눈빛으로
사랑을

외국인과 결혼한 친구가 있습니다. 그 친구는 여행을 하러 한국에 온 상대방이 길을 물어와 떠듬떠듬 길을 알려 주다가 인연이 되었다고 했습니다.

말도 안 통하는데 어떻게 결혼까지 하게 되었는지 궁금해서 물었더니 대답이 이러했습니다.

"사랑에 언어가 왜 필요해? 눈빛만 나누면 되지."

언어가 통하지 않는 두 사람은 눈빛으로 열심히 사랑을 말했습니다. 그러나 서로 그 사랑을 알아차릴 수 없었습니다. 그러던 어느 날 그 사람의 눈빛이 상대의 마음에 가닿았습니다. 두 사람은 이제 눈빛만으로 마음을 충분히 나눌 수 있었습니다.

입술을 움직여 나오는 말은 상대의 마음에 다가가기 쉽습니다. 그냥 듣기만 하면 되니까요. 하지만 눈이 전하는 말은 마음을 열심히 움직여 그 눈빛을 해석해야 합니다.

그런데 눈빛만 보아도 무슨 말을 하고 있는지 충분히 알 수 있는 상대가 있습니다.

'목격전수目擊傳受'

불교에서 깨달음은 말이 아니라 눈에서 눈으로 전해진다는 것을 이르는 말입니다.

꼭 입으로 전하지 않아도 눈으로 마음을 충분히 주고받을 수 있다면 그건 사랑입니다.

사람의 눈동자를 가만히 보면 그 사람의 마음이 들여다보입니다. 지금 외롭구나, 슬프구나, 기쁜 일이 있구나, 누군가를 사랑하는구나……. 눈동자는 그렇게 마음을 전해 줍니다. 우리 눈동자 안에는 아마도 수만 수억 마디의 언어가 살고 있나 봅니다.

어떤 눈동자는 참 따뜻해서 얼어붙었던 마음을 녹여 줍니다. 하지만 어떤 눈동자는 차갑고 냉정해서 마음을 얼어붙게 하지요. 그래서 중국의 무명 시인도 이렇게 노래했나 봅니다.

너의 눈망울은 행복을 여는 열쇠겠지.

그게 아니라면 어찌하여 네가 나를 바라볼 때

꿈으로 가득한 낙원으로 행복하게 들어서겠니.

그런데 너의 눈망울은 이미 근심의 호수가 되었다.

그게 아니라면 어찌하여 네가 나를 바라볼 때

난 벌써 슬픔의 함정에 빠져들겠니.

천국으로 인도하기도 하고 슬픔의 함정으로 데려가기도 하는 눈동자. 지금 내 눈동자는 누군가에게 어떤 말을 들려주고 있을까요?

차갑고 어두운 길을 걷고 있는 사람에게 우리 눈동자가 따뜻한 등불이 되었으면 좋겠습니다.

화내면
지는 것이다

좀처럼 화를 내지 못하는 친구가 있습니다. 그 친구의 말을 들어보면 충분히 화가 날만한데 단 한번도 화를 내지 않습니다. 속에 품어 두지도 않습니다. 그래서 그녀는 굉장히 카리스마가 있어 보입니다. 인생의 고수처럼 보입니다.

방송 일을 하면서 나는 화를 참 많이 내게 됐습니다. 나는 사람을 참 좋아합니다. 나 아닌 타인은 다 나보다 나은 사람들이고, 내가 존경할만한 사람들이라고 여기고 살았습니다. 내 주변엔 모두 수호천사 같은 사람들만 있다고 생각했습니다. 그런데 나도 모르게 미운 사람들이 하나둘 늘어가기 시작했습니다. 은혜 갚을 사람들도 하루하루 늘어나지만 섭섭한 사람들도 그만큼 늘어갔습니다.

사람을 미워한다는 건 얼마나 불행한 일인가요? 오죽하면 천 명의 친구보다 한 명의 적이 더 버겁다고 하겠습니까. 누군가를 미워하면 그 독성이 마음에 퍼지면서 누군가를 미워하는 내가 더 불행해집니다.

축구 황제 펠레가 쓴 자서전《펠레, 나의 인생과 아름다운 게임》에 이런 글이 나옵니다.

그라운드에는 두 팀이 있다. 그래서 팬도 두 종류가 있지. 한 쪽 팬이 즐거우면 상대 쪽 팬은 화가 나는 법이다. 그중 한 쪽은 언제나 네게 나쁜 소리를 하게 되어 있다. 거기에 익숙해져야 하는 거다. 그라운드에서 화를 내면 게임을 망친다는 사실을 명심해라.

세상 모든 사람이 다 내 편이기를 바라는 것처럼 어리석은 마음이 또 있을까요? 세상 사람은 모두 내 편이 될 수 없습니다. 아군이 있으면 그 상대편도 분명히 있습니다. 나를 다 좋아하기를 바라면 그만큼 삶이 피곤해지고 마음이 무거워집니다. 나를 좋아하는 사람이 있으면 그 반대쪽도 있다고 마음을 먹으면 훨씬 편안해집니다.

내게 주어진 시간도 마찬가지. 어떤 시간들은 내게 참 우호적입니다. 조금만 노력해도 일이 술술 잘 풀립니다. 그러나 어떤 시간은 또 아무리 노력해도 안될 때가 있습니다. 그럴 때는 세월을 원망도 하게 됩니다. 그런데 잘될 때가 있으면 안될 때도 있다는 사실을 인정하면 마음이 조금은 편안해집니다.

사실 나를 반대하고 나를 적대시하는 사람들에게 몹시 화가 납니다. 소리 높여 내 정당성을 주장하고 왜 나를 미워하느냐고 따지고 싶어집니다. 세월에 대해서도 마찬가지입니다. 왜 내게 이렇게 가혹하냐고 항변하고 싶어질 때가 한두 번이 아닙니다.

그런데 축구의 황제가 조언하네요.

"화를 내면 지는 것이다!"

그러니 나를 미워하는 사람에게도, 나를 힘들게 하는 세월에게도 그저 미소를 지어 줄 수밖에……. 그리고 이렇게 되뇌일 수밖에…….

'나쁜 마음은 곧 지나가게 되어 있다. 힘든 시간도 곧 흘러가게 되어 있다.'

결국 성공이나 행복의 기준을 타인에게서 찾으면 타인을 미워하게 됩니다. 날 인정해 주지 않는 사람들이, 날 불행하게 하는 사람들이 미워지니까요.

과연 성공이 뭘까요? 누군가 내 이름을 기억해 주는 것일까요?

가진 게 아주 많아서 맘대로 누리고 사는 것을 의미할까요? 행복이 마음 안에 그 요소가 있는 것처럼 성공 역시, 우리 마음 안에서 일어나는 현상입니다. 물론 내가 어떤 일을 이루어 냈을 때 다른 사람이 쳐주는 박수도 중요합니다. 그러나 내가 나에게 보내는 박수의 맛에 비할 수는 없습니다. 성공의 달콤함은 그렇게 내가 내 안에서 느껴야만 가치가 있습니다. 어떤 일을 해냈는데 그 일이 세상 사람들에게는 아무것도 아니어서 박수 소리 하나 들리지 않는다고 해도, 누구 하나 나를 알아주는 사람도 없고 대단한 일을 했다고 칭송해주는 사람이 없다고 해도, 그래도 스스로 그 일에 만족한다면 그것은 분명 성공입니다. 행복은 더더욱 내 마음 안에서 일어나는 현상입니다.

남들에게서 찾을 거 뭐 있겠어요? 나를 행복하게 해주지 않는다고 따질 거 뭐 있겠어요? 중요한 것은 나 자신……. 나 스스로 "참 잘했다!"고 어깨 두드릴 수 있다면, "이 일을 하는 것이 참 행복하다"고 웃을 수 있다면 이미 성공을 이룬 것입니다.

안간힘 쓰면서 부지런히 살고 있다면, 사랑도 열심히 하고 있다면, 꿈도 열렬히 꾸고 있다면, 당신은 행복한 사람입니다.

내 삶의
응원군

축구 경기에서 한 선수가 골을 넣으면
다른 선수 모두가 달려와서 그 선수를 얼싸안고 기뻐합니다.

야구 경기에서 타자가 홈런을 치고 만루를 돌아오면
동료들이 두 팔을 들고 맞아 주고

마라톤을 완주하고 들어오면
메인 스타디움에서 그를 기다리던 사람들이 얼싸안고 기뻐해 줍
니다.

그리고 복싱에서 이기면
애타게 지켜보던 사람들이 뛰어나와 부둥켜 안아 줍니다.

설사 경기에서 패배했더라도

그를 응원하는 동료나 가족은 따뜻하게 안아 주며 위로합니다.

아무리 영광된 일이 생긴다고 해도,

아무리 아름다운 풍경이 펼쳐진다고 해도

사람이 함께하지 않으면 무슨 소용이 있겠습니까.

오늘 하루도 행복하게 마무리할 수 있는 것은

나를 걱정해 주고 나를 위해 주는 사람들 덕분이겠지요.

함께 기뻐해 주고 함께 슬퍼해 줄 나의 응원군.

그들이 있기에 행복할 수 있습니다.

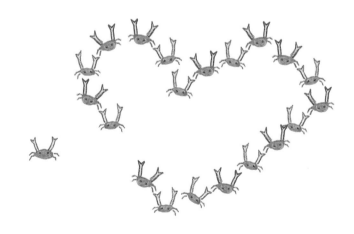

가난은
나의 힘

지붕에 구멍이 난 집이 있었습니다. 그 집에는 아들이 셋 있었는데, 구멍 뚫린 방에서 잠자면서 세 아이는 종종 그 구멍을 통해서 밤하늘을 볼 수 있었습니다.

어떤 날은 은하수가 보이기도 했고, 어떤 날은 깜깜한 어둠만 가득하기도 했습니다. 어떤 날은 하늘이 너무 맑아서 별이 방 안으로 쏟아지지 않을까 걱정하다가 잠들곤 했습니다.

비가 오면 세 아이는 양동이를 번갈아 갖다 놓았습니다. 멀리서 일하느라 집에 매일 오지 못하는 부모님은 가끔 밤에 다녀갔기 때문에 지붕을 고칠 여유가 없었습니다.

어느 날, 세 형제는 지붕을 타고 올라가 구멍 난 곳을 겨우 고쳤습니다. 그날 밤부터 그들은 별을 볼 수 없었습니다. 그런데 어느 날,

태풍이 불더니 바람이 다시 고친 지붕을 가지고 가버렸습니다. 세 형제는 비바람에 무서워 떨었지만 비가 그치고 날이 다시 개자 밤 하늘의 별을 다시 볼 수 있었습니다.

　이 이야기는 일본에서 있었던 실화인데, 세 형제는 훗날 시인과 문학 교수, 그리고 어린이 철학 전문가로 자라났다고 합니다. 가난한 지붕의 구멍이 그들에게는 삶의 원동력이 되어 주었던 것입니다.
　그래서 생텍쥐페리도 이런 말을 한 것일까요?
　"만일 음악가의 불면증이 그로 하여금 아름다운 작품을 창조하게 했다면, 그 불면증은 아름다운 것이다"라고요.

　불면증을 괴롭다고 생각하면 세상에서 가장 괴로운 병이 될 수도 있습니다. 하지만 불면증 덕택에 밤의 아름다움을 남보다 더 많이 느끼게 되었고, 그 불면증이 누군가를 그리워하는 마음에 깊이를 주었다면, 그래서 사랑이 깊어졌다면, 불면증이야말로 가장 아름다운 친구가 될 수 있습니다.
　이렇게 가장 치명적인 약점이 인생의 가장 큰 영광을 선물하기도 하고, 어려움이 훗날 고마움으로 변하는 신기한 일이 세상엔 참 많습니다. 영원한 가난도, 영원한 실패도 결코 없다는 것, 그것만 기억한다면 말이지요.

선배의
버킷 리스트

예순이라는 나이가 무색할 정도로 만년 소녀 같던 대선배님이 암 선고를 받았다고 들었습니다. 암이 진행이 많이 된 뒤 발견됐기 때문에 완쾌는 어려울 거라는 얘기도 들었습니다.

나는 마음이 급해졌습니다. 감사하다는 고백을 하지도 못했는데 "나중에, 나중에"라며 미루다가 그 고백을 전하지 못한 아픈 기억들이 나에겐 있습니다.

아버지도, 선생님도 내 고백을 기다려 주지 않으셨고 너무나 갑자기 세상을 떠나 버리셨습니다. 그런 아픈 기억 때문에 마음이 급해져서 선배님께 연락을 드렸습니다. 그런데 전화도 받지 않고 문자나 메일 답장도 없었습니다.

무작정 주소를 들고 선배님 댁으로 찾아갔습니다. 그러자 선배님

딸이 말했습니다.

"지금 자전거 여행 중이신데요."

몸도 편찮으신데 어디로 어떻게 가셨는지 묻자 "매일매일 서울로 자전거 여행을 떠나세요"라는 대답이 돌아왔습니다.

선배는 육십 평생 살아온 서울 안에도 안 가본 곳이 많다며 서울 동네 곳곳을 자전거로 다니는 여행을 시작한 것입니다. 자전거 타고 서울 곳곳을 여행하기. 그게 곧 선배님의 '버킷 리스트'였던 셈입니다.

집 앞에서 기다리고 있으려니 손수건으로 얼굴을 절반쯤 가린 채 자전거를 타고 오는 선배님의 모습이 보였습니다. 손수건을 얼굴에서 내리며 환하게 웃는 선배님 모습은 영영 잊히지 않을 듯합니다.

선배님과 찻집에 앉아 이런저런 얘기를 나눴습니다. 선배님은 얼굴은 수척했지만 표정은 밝았습니다. 선배님은 이렇게 말했습니다.

"누구나 다 시한부 인생을 사는 거 아냐? 그 시간이 남보다 조금 짧다는 것뿐이야. 하늘이 부르는 순간까지 여기저기 내가 살았던 이곳의 아름다움을 느끼다 가고 싶어."

선배님은 버킷 리스트가 하나 더 있다고 말했습니다.

"내가 고등학교 다닐 때 집이 너무 가난해서 새 교복을 한 번도 입어 보지 못했거든. 누가 입던 것만 받아서 입었어. 죽을 때가 되니까 그게 너무 억울한 거야. 다른 옷은 다 새 옷을 입어 볼 수 있지만 교복은 영영 새 교복을 입어 볼 수 없잖아. 그래서 나는 죽기 전에 형편이 어려운 학생들 몇 명에게 새 교복을 사서 주고 싶어."

선배님은 그렇게 자신에게 허락된 나머지 인생을 한순간도 헛되이 보내지 않고 부지런히 살았습니다. 슬퍼할 시간도 없다고 했습니다. 아니, 행복을 느끼는 순간들이 더 많아졌다고 했습니다. 그리고 고마운 마음이 더 깊어졌다고 했습니다.

그렇게 선배님의 마지막 날들은 찬란했고, 그래서인지 마지막 가는 날은 햇살이 화사했습니다. 고개를 들어 하늘을 보니 그 햇살 속에 선배의 자전거 바퀴가 통통통 구르고 있는 듯했습니다.

비 오는 날의 도너츠

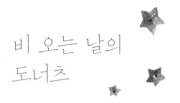

　어느 시인이 가을이 오면 "이크, 큰일났다, 가을이다!" 그런다고 하지만 나는 비가 오면 그럽니다.

　"이크, 큰일났다. 비 오네!"

　비가 오면 내 안에서 비 난리가 먼저 나기 때문입니다.

　비가 시작되기도 전에 세상은 자욱한 비 냄새로 먼저 예고를 해 줍니다. 그러면 내 마음이 술렁거리기 시작합니다.

　나는 비 오는 날 광녀를 적극 이해하는 심정이 되며 밖으로 기어 나갑니다. 그래서 여기저기 걸어다니거나 차를 몰고 음악을 크게 틀어 놓고는 비 오는 거리를 돌아다닙니다. 꽃만 안 꽂았다 뿐이지 미쳐 버리는 겁니다.

　어느 날인가 동생과 차를 타고 비 오는 거리를 달려가다가 나는

너무 좋아서 흥분해서는 막 소리를 질렀습니다.

"아아아아아~ 조오타~! 비야 비야, 쏟아져라~! 더 쏟아져~!"

그랬더니 동생이 놀라서 외쳤습니다.

"언니 미쳤어?"

나는 그 소리에 깔깔 웃었습니다. 눈물이 나게.

동생이 겁에 질린 얼굴로 나를 보다가 저도 웃고 말았습니다.

"못 말려, 아무튼."

공부만 하는 교수 동생이 비 오면 미치는 작가 심정을 어떻게 헤아리겠습니까?

비 오는 날이면 빗소리에 추억도 실려 오고 그리움도 실려 옵니다. 어머니는 비 오는 날이면 처마 밑에 신문지를 깔고 거기다 일회용 화덕을 갖다 놓고 도너츠를 구워 주셨습니다. 비릿한 비 내음이 도너츠를 튀기는 기름 냄새와 어우러지던 기억, 떨어지는 빗소리와 도너츠 튀겨지는 소리가 어우러지던 기억, 가끔 창밖을 보며 "비님이 참 많이도 오시네" 하시던 어머니의 젖은 듯한 눈시울이 생각납니다.

목이 길어 사슴 같은 어머니……. 그때의 어머니는 비를 보며 무슨 생각을 하셨을까요…….

우리에게 감성을 물려주신 어머니. 어머니도 여자인데, 어머니의 그 마음을 들여다본 적 없이 살았습니다. 그래서 참 많이 죄송합니다.

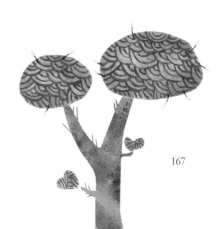

사과나무의
가르침

항해사는 결코 바람의 방향을 마음대로 지배할 수 없습니다. 그러나 배의 돛은 마음대로 조절할 수 있습니다.

정원사는 꽃이 피고 지는 일을 마음대로 행할 수 없습니다. 그러나 꽃을 사랑할 수는 있습니다.

농부는 결코 자연의 섭리를 좌우할 수 없습니다. 그러나 씨를 뿌리고 거두는 일은 가능합니다.

사람은 비가 내리게 하거나 멈추게 하지 못합니다. 그러나 우산을 준비할 수는 있습니다.

어떤 절망의 순간에도 희망을 준비하는 사람, 어떤 증오의 대상에게도 사랑을 준비하는 사람, 그런 사람들을 더 많이 만나고 싶습니다. 그리고 나 역시 그런 좋은 이웃이 되고 싶습니다.

시인 롱펠로는 불우한 삶을 살았습니다. 첫 번째 부인을 병으로 잃었고, 두 번째 부인 역시 사고로 잃었습니다. 세월이 흘러 롱펠로가 죽음을 앞둔 어느 날, 기자가 이렇게 물었습니다.

"그렇게 고통스러운 날들을 지내면서도 어쩌면 그렇게 주옥같은 시를 쓸 수 있었습니까?"

그러자 롱펠로는 정원에 있는 사과나무를 가리키며 이렇게 대답했습니다.

"저 사과나무에는 해마다 새로운 가지가 생겨나지. 나는 나 자신을 저 사과나무의 새로운 가지라고 생각했어. 그래서 힘들고 어려울 때마다 힘을 얻었네."

새롭게 뭔가 다시 시작할 수 있다는 것은 참 좋은 일이지요. 그래서 사람들은 흐르는 세월에 금을 그어서 숫자를 붙이고 이름을 붙이곤 했나 봅니다.

계절이 바뀌고 있습니다.

고맙습니다.

이제 뭔가 다시 새롭게 시작할 수 있을 것 같습니다.

노부부의
사랑

이숙영의 《일 중독 사랑 중독》에 이런 글이 있습니다.

　부부 금실이 좋기로 유명한 노부부가 있었습니다. 그들은 부유하지는 않지만 서로를 위하며 행복하게 살았습니다. 그런데 할아버지가 아파서 병원에 치료를 하러 다니면서부터 할머니를 구박하기 시작했습니다.

　"약 가져와라."

　"여기요."

　"물은?"

　"여기요."

　"아니, 뜨거운 물로 어떻게 약을 먹어?"

　할아버지는 물컵을 엎어 버렸습니다.

할머니가 다시 물을 떠 오니 "아니 그렇다고 찬물을 가져오면 어떡해?" 하면서 물을 또 엎었습니다. 손님들이 찾아오자 할아버지는 먹을 것을 안 가져온다고 소리쳤습니다.

"당신이 하도 난리를 피우는 바람에 정신이 벙벙해서 그만……."

"어디서 말대답이고?"

"손님들도 계신데 너무하시네요."

할머니는 결국 눈물을 훔치며 밖으로 나갔습니다.

보다 못한 손님 중 한 명이 조심스럽게 말했습니다.

"어르신, 왜 그렇게 사모님을 못살게 구세요?"

그러자 한참 동안 아무 말도 않던 할아버지가 한숨을 내쉬며 입을 열었습니다.

"저 할망구가 마음이 여려서 나 죽고 나면 어떻게 살지 걱정이 돼서……."

할아버지의 눈에는 어느새 눈물이 가득 고였습니다.

얼마 뒤 할아버지는 돌아가셨습니다.

그리고 무덤가 한 켠에 할머니가 우두커니 서서 눈물을 훔치고 있었습니다.

할머니의
화분

나와 같이 일하는 보조작가의 이야기입니다.

참 선한 성품을 가진 스물아홉 살의 예쁜 작가, 박빛나.

그녀가 어느 날 대중목욕탕에 갔습니다. 그곳에서 한 할머니가 혼자 목욕을 하고 계셨습니다.

"등 밀어 드릴까요?"

혼자 목욕하는 할머니가 안쓰러워 보여서 다가가 등을 밀어 드렸습니다. 할머니가 연신 고맙다고 하셨습니다.

목욕탕을 나서는데 빗방울이 떨어지기 시작했습니다. 마침 일기예보를 들었던 터라 빛나는 우산을 폈습니다. 그런데 목욕탕에서 등을 밀어 드렸던 그 할머니가 우산 없이 걸어가고 계셨습니다. 빛나는 얼른 뛰어가 할머니에게 우산을 씌워 드렸습니다.

"저는 집이 바로 여기여서 가까워요. 할머니가 우산 쓰고 가세
요."

빛나는 우산을 할머니에게 드렸지만 할머니는 한사코 받지 않으
셨습니다.
"아니야. 아가씨가 쓰고 가."
할 수 없이 빛나는 할머니에게 우산을 씌워 드린 채 같이 걸어갔
습니다.
"괜찮아, 괜찮아. 얼른 아가씨 갈 길 가."
할머니가 연신 괜찮다고 했지만 빛나는 할머니 댁까지 꽤 먼 길
을 걸어가며 우산을 씌워 드렸습니다.

할머니 댁 대문 앞에 이르자 할머니는 "여기 잠깐만 기다려" 히
곤 마당으로 급히 들어가더니 화분 하나를 가지고 나오셨습니다.
혹시 빛나가 그냥 가버릴까 봐서 마당에 있던 비닐로 화분을 급히
싸서 들고나와 건넸습니다.
"이거 갖고 가."
"아유, 아니에요."
빛나가 사양했지만 할머니는 얼른 받으라며 화분을 품에 안겨 줬
습니다.

"줄 건 없고 이거라도 받아 가. 그래야 내 맘이 편해."

　할머니는 고마운 마음에 그 어떤 것으로라도 보답하고 싶었던 것입니다. 그래서 마당에 있는 화분 중에 가장 예쁜 꽃이 피어 있는 화분을, 가장 아끼던 그 화분을 챙겨 건넸던 것입니다.

　할머니에게 "감사합니다"라고 인사하고 빛나가 화분을 품에 안고 걸어오는데 빗방울이 화분의 푸른 잎사귀에 떨어졌습니다. 빛나는 마치 즐거운 행진곡 같은 빗방울의 리듬에 맞춰 행진하듯 경쾌한 걸음으로 힘차게 걸어갔습니다.

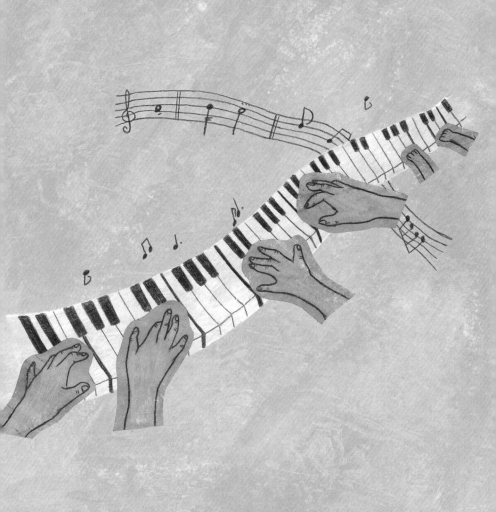

추억의
힘으로

　나는 바닷가에서 학창 시절을 보냈습니다. 그때 나는 툭하면 바닷가에 나가서 걸어 다니길 좋아했습니다. 노을이 지는 저녁 바다도 좋아했고, 해가 방금 떠오른 아침 바다도 좋아했습니다.

　그때는 선생님들이 밤에 절대 백사장에 가지 못하게 했습니다. 문제 학생들이 몰려다닌다는 이유에서였습니다. 그래도 나는 밤에도 바다에 가보고 싶었습니다. 아침에 보는 바다와 낮에 보는 바다, 저녁에 보는 바다와 밤에 보는 바다는 다 달랐습니다.

　밤바다가 무척 보고 싶은 날이면 나는 고등학교 학생 지도 선생님이었던 큰오빠를 졸랐습니다. 바다에 혼자 갔다가 우리 학교 학생지도 선생님들에게 걸리면 큰일이었으니까요. 큰오빠는 어차피 학생 지도를 나가는 길이니 나를 데리고 갔습니다. 나는 큰오빠와 백사장을 걸으며 노래를 부르곤 했습니다. 큰오빠는 〈해변의 여인〉을 부르고 나는 〈기다리는 마음〉을 부르고……. 까만 하늘에는 달이 하나 떠서 단조로운 해조음에 끄덕끄덕 졸고 있다가 우리들의 노랫소리에 깨어났습니다. 내 노랫소리에 달빛이 한층 밝아지는 게 느껴졌습니다.

극장도 없고 연극공연장도 없고 콘서트장도 없는 마을에서 나의 문화적인 욕구와 목마름은 바다와 하늘과 바람이 채워 주었습니다. 그리고 눈이 시리도록 샛노란 유채꽃의 색채가, 마음을 아리게 하는 억새의 움직임이 나의 마음을 두드려 정서의 창고를 채워 주곤 했습니다.

내 감성의 안테나가 가장 높이 뽑아 올려졌던 그 시절, 나의 감성과 꿈은 그렇게 채워져 갔습니다.

지금도 나는 작품을 쓰기 전에 컴퓨터 자판 앞에 앉으면 제일 먼저 눈을 감습니다. 그리고 고향의 그것들을 호출합니다. 백사장의 모래알, 하늘, 파도, 그리고 유채꽃, 밀감 향기, 억새……. 그리고 하얀 칼라 교복을 입은 한 소녀의 더할 수 없는 순수함을 초대합니다. 그것은 내 글쓰기의 한 의식처럼 되었습니다. 그러고 나서야 한 줄의 글이라도 탄생해 주는 것입니다.

추억의 힘은 대단합니다. 현실을 이기게 합니다. 그리고 인생을
창의적으로 살게 합니다.

특별한
날

　지인 가운데 오십 대 후반에 접어든 주부가 있습니다. 그녀는 그동안 남편을 위해, 자식을 위해, 오직 가족만을 바라보며 살아왔습니다. 결혼하면서 잘나가던 직장도 그만두고 가족을 위해 오롯이 세월을 바쳤습니다.

　그런데 외국 유학을 보낸 딸아이는 스무 살이 넘은 지금도 여전히 철이 없고 이기석이기만 합니다. 전화를 했다 하면 돈 보내 달라는 소리뿐이니, 딸아이의 전화가 무섭기까지 합니다.

　아들도 찬바람이 불기는 마찬가지입니다. 대학을 졸업하고 취직을 못한 아들은 아직 정신을 못 차리고 허황된 꿈만 꾸면서 역시 돈 달라는 소리만 해댑니다. 평소에는 얘기도 잘 안 하다가 대화를 청할 때는 돈 이야기뿐이니 허탈하기만 했습니다. 게다가 남편은 툭하면 바람을 피우고 집에는 관심도 없습니다.

그러던 어느 날, 자신의 생일을 맞았습니다. 생일 아침에 미국에 있는 딸아이에게서 전화가 왔습니다. '아, 생일을 기억해 냈나 보다' 하는 반가운 마음이 들었지요. 수화기를 들면서 절로 목소리 톤이 올라갔습니다. 그러나 역시나 돈을 보내 달라는 얘기였습니다. 섭섭한 마음에 "오늘 무슨 날인지 몰라?"라고 물으니, 딸아이는 바쁘다며 지금 바로 은행에 가서 돈을 보내라고 하고는 전화를 끊어 버렸습니다.

가족 중에 누구 하나 자신의 생일을 기억해 주는 사람도 없고, 생일 축하한다며 말 한마디 건네는 사람도 없었습니다.

'그래, 나 같은 사람 생일이 뭐가 특별하다고……'

그녀는 서글픈 마음을 누르며 은행으로 갔습니다. 은행에서 딸에게 돈을 보내고 운전을 하며 돌아오는데, '내 인생이 이게 뭔가. 내가 무엇을 위해 살아왔나……' 하는 생각에 갑자기 허무함이 밀려오면서 정신을 차릴 수 없었습니다.

"허무해, 허무해……."

입에서 이 말이 터져 나오자 눈물이 걷잡을 수 없이 흘렀습니다. 세상이 캄캄하고 어두워서 앞을 볼 수가 없었습니다. 그래서 그만 신호등을 보지 못하고 액셀러레이터를 밟고 말았습니다.

그 순간 교통경찰이 차를 세우라고 손짓했습니다. 그녀는 차를 세우고 눈물을 수습할 사이도 없이 차창을 열었습니다.

교통경찰은 울고 있는 그녀를 보고는 멈칫하더니 면허증을 보여 달라고 했습니다. 그녀는 면허증을 건네주었고, 교통경찰은 딱지를 끊어 주었습니다.

그런데 딱지를 받아 든 그녀는 깜짝 놀랐습니다.

딱지에는 이렇게 씌어 있었습니다.

"김영자 여사님, 오늘 생신이시군요. 특별한 날이니 이번은 봐드리겠습니다. 생신 축하드립니다."

교통경찰은 면허증에 있는 생년월일을 보고 오늘이 그녀의 생일임을 알게 된 것입니다. 교통경찰의 축하 한마디에 깜깜하고 어둡던 세상이 갑자기 환해졌습니다.

'그래, 내 생일은 특별한 날이고, 나는 특별한 사람이야.'

그녀는 살아갈 용기를 다시 추스를 수 있었습니다.

고사리
시인

작은 오빠를 나는 '고사리 시인'이라고 부릅니다.

오빠는 내가 대학 다닐 때 서울에서 크게 사업을 했습니다. 유능한 사업가 오빠와 성격이 무던한 올케 덕분에 우리 세 자매는 기숙사 대신 오빠네 집에서 지내며 편안히 대학 공부를 할 수 있었습니다.

어느 날부터인가 오빠의 회사 사정이 좋지 않아졌습니다. 너무 크게 사업을 확장하는 바람에 부도가 났습니다. 결국 오빠의 회사는 문을 닫고 말았습니다.

인생의 큰 고비를 맞은 오빠는 집에 틀어박혀 소설과 시를 써대기 시작했습니다. 원고지들이 쌓이고 쌓여 거의 천장까지 닿았지만 오빠는 출판을 하지 않았습니다. 출판사에서 돈을 들고 와서 책을 내주겠다고 해도 거절했습니다.

오빠는 그냥 쓰는 게 좋아서, 아니, 쓰지 않으면 견딜 수 없기 때문에 쓰는 것이지 세상에 알리려고 쓰는 게 아니라고 했습니다.

오빠는 어린 시절 나의 문학 선생이기도 했습니다. 다락방에 들어가면 거기 오빠의 원고들이 가득했습니다. 그 원고들 중에는 야한 연애소설도 있었고 절절한 연애시도 있었습니다. 나는 다락방에서 오빠의 원고들을 몰래 읽으며 오빠의 글씨체까지 흉내 내서 써보곤 했습니다. 그래서 내 글씨체도, 언니의 글씨체도 모두 오빠의 글씨체와 참 많이 닮았습니다.

오빠의 글쓰기는 그렇게 삶의 돌파구였고, 감정의 토로장이었지, 발표하고자 하는 작품이 아니었습니다.

오빠는 서울 생활을 청산하고 고향 제주도로 내려갔습니다. 큰 사업을 하던 오빠가, 야망이 너무 커서 탈이었던 오빠가 제주도에서 식당을 하려니 어려움이 많았을 것입니다. 그러나 오빠는 착실하게 식당 일을 했고, 부지런히 돈을 모아서 다세대 주택을 지었습니다. 수십 가구의 임대료를 받게 되자 오빠는 식당을 정리했습니다.

그 후 오빠는 바닷가에 나가서 소라를 따서 어머니에게 갖다 드

리고, 봄이면 산자락을 헤집고 다니며 고사리를 따곤 합니다. 그리고 밤이 되면 시를 씁니다. 그러나 여전히 원고지만 쌓여갈 뿐 출판은 하지 않습니다.

오빠는 고사리를 따면서도 삼행시로 기도를 합니다.

고, 고맙습니다.
사, 사랑합니다.
리, 이해합니다.

이렇게 기도하면서 고사리를 하나하나 따서 맑은 햇살에 말려서는 서울에 있는 동생들에게 보냅니다. 오빠가 보낸 고사리 상자를

열어 보니 눈물이 나도록 아름다웠습니다.

　그 고사리를 나누어 먹으려고 나는 소중한 사람들에게 보냅니다.
고사리를 받은 사람들은 인사를 건네옵니다.

　"이렇게 예쁜 고사리는 처음 봤어요."

　오빠의 기도가 그렇게 시가 되어 고사리에 스며들었나 봅니다.
그래서 고사리를 받는 사람에게 그 기도가 전달이 되었나 봅니다.

　오빠를 나는 고사리 시인이라고 부릅니다.

　고사리 시인이 쓴 시들이 언젠가는 세상의 사람들에게 아름답게
전해지기를 바랍니다. 오빠가 따서 말린 고사리처럼 말이지요.

엄마의
낡은 신발

실화를 모은 어느 책에서 이런 사연을 읽은 적이 있습니다.

딸은 집이 너무 가난해서 수학여행비를 낼 돈이 없었습니다. 그런데 엄마는 어떻게 구했는지 수학여행비를 딸의 손에 쥐어 주었습니다. 하지만 딸은 수학여행 때 입고 갈 옷도 없고 운동화도 너무 낡았다며 투정을 부렸습니다. 그러다가 수학여행도 포기하고 말았습니다. 다른 아이들은 새 옷에, 새 신발에, 넉넉한 용돈을 가지고 가는데, 자신의 모습이 너무 초라할 것 같아서였습니다. 친구들은 모두 즐겁게 놀 텐데 혼자 수학여행을 못 가고 밭에서 일을 도와야 한다는 사실이 속상해서 딸은 내내 엄마에게 투덜거리며 짜증을 냈습니다.

그러던 어느 날, 엄마가 꼬깃꼬깃 접은 돈 이만 원을 딸의 손에 쥐여 주었습니다. 엄마가 며칠 동안 일해서 번 돈이었습니다. 운동화 한 켤레 사 신으라며 돈을 주시는데 오랜만에 잡아 보는 엄마의 손이 많이 거칠었습니다.

다음 날, 딸은 엄마가 준 돈으로 새 운동화를 사 신었습니다. 새 운동화에 흙먼지가 묻을까 봐 조심조심 대문을 들어섰습니다. 그러다가 우뚝 멈춰 서고 말았습니다. 엄마가 못 쓰게 된 장판 조각에 발을 대고 장판을 발 크기만하게 오리고 있었습니다.

그때 엄마의 신발이 딸의 눈에 들어왔습니다. 닳고 닳아 밑창이 뻥 뚫린 허름한 신발. 엄마의 그 신발이 말입니다. 왜 진작 몰랐을까? 자신은 다 낡은 신을 신으면서도 딸에게 새 신을 사 신기고 싶어 하는 엄마의 마음도 모르고 딸은 마구 화를 냈던 것입니다.

"수학여행 가는데 옷 한 벌 안 사주고, 용돈도 이것밖에 안 줘!"

자신의 투정을 듣는 동안 엄마의 마음은 얼마나 아팠을까 싶어 딸의 두 볼에 눈물이 흘러내리며 새 신을 신은 발을 감추고 싶었습니다.

딸은 다음 해 어버이날, 일 년 동안 모은 돈으로 엄마에게 구두 한 켤레를 선물했다고 합니다.

신발 한 켤레 사 신는 것이 대단한 호사였고, 새 옷 한 벌 사 입는 것이 대단한 사치였던 시절, 돈을 내지 못해 수학여행을 갈 수 없었던 시절이 있었습니다. 아니, 아직도 많은 사람들은 그런 가난을 겪고 있습니다. 그렇지만 그 가난 속에서도 어머니의 사랑이, 자식의 사랑이, 가족의 정이 따뜻하게 흐르고 있습니다.

태풍 속의
두 사람

태풍이 치는 어느 날, 트위터에 누군가가 올린 사진을 보았습니다. 휠체어를 탄 중증 장애인이 비를 맞고 있었고, 그 옆에서 어느 경찰이 우산을 씌워 주며 서 있는 사진이었습니다. 그 사진은 이런 이야기를 담고 있었습니다.

국회 앞에서 매일 정오부터 1시간 동안 경비 업무를 하는 경위는 그날도 국회 앞으로 나갔습니다. 태풍주의보가 내려진 날이어서 우비에다 우산을 들고 나갔습니다.

그런데 정문 앞에서 비를 맞으며 일인 시위를 하고 있는 어느 장애인을 발견했습니다. 그 장애인은 휠체어를 탄 채 비를 맞으며 "중증 장애인에게도 일반 국민이 누리는 기본권을 보장해 달라"는 내용의 피켓을 들고 있었습니다.

경위가 전임 교대자한테 무슨 일인지 물었더니 "오전부터 저렇게 시위하고 있었다"고 했습니다. 경위는 장애인에게 다가가 말했습니다.

"비도 오고 바람도 많이 불어서 위험합니다. 오늘은 그냥 들어가세요."

그러나 장애인은 그럴 수 없다고 했습니다. 그가 시위를 담당한 날이어서 오후 1시 반까지는 있어야 한다는 것이었습니다. 그 장애인이 속한 단체는 중증 장애인의 대우를 개선해 달라며 일인 릴레이 시위를 지난달부터 계속하고 있는 중이었습니다.

비를 맞으며 휠체어를 탄 채 피켓을 들고 있는 장애인이 안쓰러워서 경위는 우산을 건넸습니다.

"그럼 우산이라도 들고 계세요."

장애인이 대답했습니다.

"우산을 들고 있을 수가 없습니다. 몸이 불편해서요."

도저히 그가 비를 맞고 있는 것을 보고만 있을 수 없었던 경위는 그의 뒤로 걸어가 우산을 받쳐 주었습니다. 그렇게 두 사람은 한 시간 동안 아무 말도 없이 내리는 빗속에, 부는 바람 속에 서 있었습니다.

　바람이 거세게 불고 비가 세차게 내리는 중이어서 서로 말을 할
순 없었지만 그렇게 한 시간을 서 있는 동안 그들의 마음은 서로에
게 말을 하고 있었습니다.

　"힘내세요."

　"고맙습니다."

우리가
물이 되어 만난다면

울지 마라.

외로우니까 사람이다.

살아간다는 것은 외로움을 견디는 일이다.

정호승 시 〈수선화에게〉에서는 이렇게 외로우니까 사람이라고
말합니다. 외롭지 않은 사람이 세상에 있을까요? 사람인 이상 우리
는 누구나 외로울 수밖에 없습니다. 인생의 친척은 고독이며 외로
움이며 슬픔입니다.

외롭다는 생각이 뼛속 깊이 절절한 어느 날, 전철을 타고 가다가
따뜻한 풍경을 보았습니다.

어떤 사람이 책을 보고 가던 중이었는데 옆에 앉은 학생이 피곤

했던지 졸고 있었습니다. 학생은 고개를 좌우로 흔들며 몇 번이나 떨구더니, 책을 보고 있던 사람의 어깨에 머리를 기대고 말았습니다. 그러자 그 사람은 학생이 편하게 머리를 기댈 수 있도록 자신의 어깨를 빌려 주었습니다.

그 모습을 보면서 나도 모르게 미소가 지어졌습니다. '어깨를 기대는 사람은 참 편안하겠구나, 어깨를 빌려 주는 사람은 참 행복하겠구나' 하는 마음이 들었습니다.

가족도, 친구도, 연인도 아닌 모르는 타인에게 어깨를 빌려 준 적 있는지요? 같은 하늘 아래 살아가는 사람들 중에서 내 어깨에 기대고 싶은 사람은 누구일까요? 지금 나는 내 어깨를 누구에게 얼마나 빌려 주고 있을까요? 어쩌면 지금 우리가 너무 외로운 이유는 타인에게 내 어깨를 내주는 일에 인색하기 때문은 아닐지 모르겠습니다.

강은교 시인은 〈우리가 물이 되어 만난다면〉에서 고독을 푸는 방법에 대해 힌트를 전했습니다.

만 리 밖에서 기다리는 그대여
저 불 지난 뒤에
흐르는 물로 만나자.

푸시시 푸시시 불 꺼지는 소리로 말하면서

올 때는 인적 그친

넓고 깨끗한 하늘로 오라.

우리가 느끼는 고독은 가뭄과도 같습니다. 목이 마르고, 가슴이 황폐해지고, 삶이 위태로워집니다. 그래서 시인은 "우르르 우르르 비오는 소리"처럼 생명력 있게 서로 만나야 한다고 했습니다. 서로 위로하며 이해하면서, 서로의 메마른 가슴을 적시고 때로는 열정적인 불로 만나야 한다고 이야기합니다.

그렇게 흐르는 물처럼 만나고 싶은 사람, 만나기만 해도 황폐해진 마음이 촉촉해질 듯한 사막의 오아시스 같은 사람이 있으신지요? 시에서처럼 멀리, 만 리 밖에서 기다리는 사람이 있을지도 모릅니다. 그가 다가오기만을 기다리지 말고 내가 먼저 그에게로 다가가 보는 건 어떨까요?

손수건의
위로

지인이 형을 잃었습니다. 그는 사랑하는 형을 갑자기 잃어버린 슬픔을 주체할 수 없었습니다.

자상하고 유능하고 착했던 형…….

형을 갑작스런 사고로 잃고 난 후 시도 때도 없이 눈물이 흘렀습니다. 슬프다는 감정 이전에 눈물부터 폭포수처럼 쏟아지니 정신을 차릴 수가 없었습니다.

위경련처럼 수시로 급습하는 슬픔 때문에 한번은 운전을 하다가 갑자기 차를 세웠습니다. 폭포처럼 쏟아지는 눈물 때문에 앞이 보이지 않았습니다. 달려가다가 갑자기 차를 멈추는 바람에 뒤에서 달려오던 차가 급정거를 했습니다. 하마터면 크게 접촉사고가 날 뻔한 상황이었습니다.

뒤차를 운전하던 남자가 격분해서 차에서 내렸습니다. 화가 난 남자는 차창을 두드렸습니다. 그는 그때까지 계속 쏟아지는 눈물을 멈추지 못한 채 고개를 떨구고 흐느끼고 있었습니다.

뒤차 운전자가 차창을 계속 두드렸습니다. 그는 눈물 가득한 얼굴로 차창을 열었습니다. 죄송하다는 말을 해야 하는데 울음이 나와 차마 말을 할 수 없었습니다.

당황한 시선으로 그를 보던 뒤차 운전자가 말했습니다.

"저…… 무슨 일이 있으세요?"

차마 대답도 하지 못한 채 울고 있는데 남자가 말을 이었습니다.

"무슨 일인지 모르지만 힘내세요."

화를 내러 왔던 남자는 오히려 손수건을 건넸습니다. 그러고는 조용히 자신의 차로 돌아가 그의 차를 가만히 비켜 갔습니다.

그는 고개를 들어 그 차를 보았습니다. 그 차의 뒤꽁무니가 그에게 깜박이 신호를 보냈습니다. 힘내라는 위로와 응원의 표현이었습니다.

타인의 슬픔을 발견하고 위로와 응원을 보내 준 사람……. 그의 따뜻한 위로 덕에 그는 슬픔을 조금이나마 덜어 낼 수 있었습니다.

그는 타인이 건넨 손수건으로 눈물을 닦았습니다. 마치 형이 눈물을 닦아 주는 듯했습니다.

행복의
냄새

얼마 전 한 TV 프로그램에서 병든 아버지와 동생을 부양하며 피자 배달을 하는 청년을 인터뷰한 적이 있습니다. 진행자는 청년에게 꿈이 무엇인지 물었습니다. 그러자 그는 이렇게 대답했습니다.

"좋은 냄새가 나는 가정을 갖고 싶습니다."

청년의 말이 이어졌습니다.

"겨울에 오토바이를 타고 피자 배달을 다니면 정말 지독하게 춥습니다. 그런데 피자를 전해 주려 현관문을 들어서면 집마다 특유의 독특한 냄새가 있습니다. 집이 크든 작든, 비싼 가구가 있든 없든 아늑하고 따뜻한 사랑의 냄새가 나는 집이 있는가 하면, 어딘지 냉랭하고 서먹한 냄새가 나는 집이 있습니다. 아늑한 냄새가 나는 집에서는 정말 추운 바깥으로 나오기가 싫어요. 저도 훗날 그런 가정을 꾸미고 싶습니다."

아무리 화려해도 냉랭한 공기가 도는 집이 있는가 하면, 아무리 소박해도 행복한 냄새가 나는 집이 있더라는 피자 배달 청년의 말에 고개가 끄덕여집니다.

어느 시인은 얼마 전에 참 행복하게 사는 부부를 만난 적이 있는데, 비결은 아주 단순한 것이었다고 합니다. 날씨가 더운 날에는 남편이 아내에게 "더워서 고생했다"라고 하고, 추운 날에는 "추워서 고생했다"고 합니다. 또 아내는 남편이 지쳐 보이면 아이처럼 재롱도 떨고 바보가 되어 준다고 합니다.

저녁을 먹고 나면 팔짱을 끼고 산책을 나서는 그 부부에게 불행해질 틈은 없어 보였습니다. 그들이 꾸민 행복의 공간은 세상의 잣대로 보면 참 작을지 모릅니다. 방이 두 개인 지하에서 아이 둘과 함께 살고 있으니까요. 하지만 볕이 잘 들지 않는 집은 사랑으로 인해 전혀 어둡지 않았고, 좁은 집은 사랑으로 인해 넓은 대궐이 되었습니다. 그리고 그 집에 들어가면 아주 따뜻하고 편안한 냄새가 납니다. 바로 행복의 냄새입니다.

훌륭한 건축의 조건은 그 집에서 살아가는 사람들이라고 합니다.

우리 집에 가장 필요한 건 값비싼 장식물도 가구도 아닐 것입니다. 서로 이해하고 감싸 주는 사랑, 바로 그것이 집 안을 따뜻하고 편안한 향기로 채워 주겠지요.

다음 생엔 내 어머니의
어머니로 태어나고 싶다

　권투시합 장면을 보면 선수는 링 위에서 싸우다가 3분이 지나면 구석 자리의 코너 스툴로 돌아갑니다. 그곳에는 싸움을 안타깝게 지켜보며 응원하던 든든한 후원자가 기다립니다. 그리고 싸움에 지친 선수의 땀을 수건으로 닦아 주고 마실 물도 내줍니다. 그리고 할 수 있다는 용기와 이길 수 있는 방법을 전해 주기도 합니다.

　우리 모두는 그렇게, 나만의 구석 자리가 있습니다. 지치면 돌아가 쉴 수 있는 곳 말입니다. 그곳에서는 우리 삶의 코치, 삶의 응원자가 나를 기다려 줍니다. 그리고 내 얼굴에 묻은 땀을 닦아 주고, 마음에 입은 상처도 잘 보듬어 주곤 합니다.

　지치면 돌아가 쉴 수 있는 곳, 힘들면 돌아가 위로받는 곳. 그곳은 바로 어머니 품속이겠지요.

축구 선수 유상철이 한 TV 프로그램에 출연해서 2002년 월드컵 당시에 한쪽 눈의 시력을 상실한 채 경기에 출전했다고 말한 적이 있습니다. 그는 왼쪽 눈이 서리가 낀 것처럼 뿌옇게 보이고, 옆에 사람이 지나가도 누군지 알아보지 못했다고 합니다. 아들은 그 사실을 비밀로 하려 했지만 어머니가 모를 리가 없었지요. 어머니는 너무나 슬퍼하며 자신의 눈을 아들에게 주겠다며, 어떻게 하든 수술받기를 권했습니다. 그런 어머니의 마음을 생각하며 유상철 선수는 남들보다 두세 배, 이를 악물고 연습했다고 합니다.

그렇게 어머니로 인해 용기를 얻고 어머니의 사랑으로 다시 일어선 사람들이 정말 많습니다. 만화가 박수동 씨도《엄마에게 쓴 짧은 편지》에 이런 글을 남겼습니다.

"6학년 때 가출했다가 나흘 만에 돌아와 보니 엄마는 울기만 했습니다. 만화를 그릴 때마다 원고지에 눈물을 적시는 건 그때 엄마의 눈물입니다."

어머니의 마음은 그렇게, 넘어진 우리를 일으키는 힘이고, 가파른 삶의 언덕을 오르게 하는 힘입니다.

어느 중학교 선생님에게서 들은 이야기입니다. 선생님이 담임을

202

맡고 있는 반에 몸이 불편한 학생이 있었습니다. 휠체어를 타고 다니는 학생이었습니다.

어느 날 〈세상에 다시 태어난다면〉이라는 제목으로 선생님이 글짓기를 시켰는데, 그 학생의 글이 참 뜻밖이었습니다. 다시 태어난다면 몸이 불편하지 않은 비장애인으로 태어났으면 좋겠다는 내용일 줄 알았는데 그게 아니었습니다. 그 학생은 이렇게 글을 썼습니다.

다시 태어난다면 내 어머니의 어머니로 태어나고 싶다.

그래서 이생에서 내가 받은 고마움을

어머니의 어머니가 되어서 무조건 보답하면서 살고 싶다.

이생에서 내가 어머니의 고마움에 보답하며 사는 건

너무나 힘들기에,

제발 다음 생에선 내 어머니의 어머니로 태어나서

그 무한한 사랑을 갖고 싶다.

이 학생의 마음이 곧 나의 마음입니다. 그리고 당신의 마음이기도 하겠지요.

4장

란드리, 란드리

총 대신
악기를

베네수엘라의 수도인 카라카스의 빈민가. 거리에서는 시도 때도 없이 총격전이 벌어지고 아이들은 열다섯 살만 되면 밖으로 나가 마약을 하는 곳. 이곳 아이들은 그렇게 온갖 위험에 노출되어 있습니다.

바로 이곳에서 누구도 예상하지 못한 변화가 시작되었습니다. 1975년, 경제학자이자 음악가인 호세 안토니오 아브레우 박사는 허름한 차고에 전과 5범 소년을 포함한 11명의 아이들을 모았습니다. 그리고 아이들의 손에 총 대신 악기를 하나씩 쥐여 주었습니다.

날이 갈수록 수강생은 늘어만 갔습니다. 위협으로부터 자신을 구하고 싶었지만 방법을 찾을 수 없었던 아이들이 스스로 그곳으로 달려왔습니다. 그리고 35년이 흐른 지금, 베네수엘라 전역으로 그 음악 교육이 퍼졌고, 30만 명 이상의 아이들이 음악으로 희망을 키워 가고 있습니다.

아브레우 박사가 만든 불우 청소년 음악교육 단체인 '엘 시스테마'의 이야기입니다. 엘 시스테마는 오케스트라 합주를 중심으로 이루어지는데, 아이들은 합주를 통해 자신이 맡은 악기에 대한 책임감을 갖게 되고 소리의 조화를 배우면서 다른 사람과 더불어 살아가는 관계의 미학을 익히게 됩니다.

무엇보다도 중요한 것은 음악을 통해 아이들의 삶이 달라졌다는 것입니다. 연주를 하는 아이들은 하나같이 웃고 있습니다. 인생이 지옥과도 같던 아이들에게 음악이 가르쳐 준 것입니다. 인생은 천국이라는 것을 말입니다.

엘 시스테마는 그곳을 거친 청소년들이 세계적인 음악가로 성장하면서 더 널리 알려지게 되었습니다. 또 다큐멘터리 영화로 제작되어 우리나라에서 개봉되기도 했습니다.

빈민가의 아이들에게 총 대신 악기를 쥐여 주고, 싸움 대신 음악을 가르쳐서 희망을 선물한 호세 안토니오 아브레우 박사는 제10회 서울평화상 수상자로 결정되기도 했습니다. 서울평화상 수상자로 남미 인사가 선정된 것도 처음이고, 음악가에게 평화상을 수여

하는 것도 이례적인 일이라고 합니다.

호세 안토니오 아브레우 박사가 남긴 이 말이 오랫동안 잊히지 않을 듯합니다.

"우리는 예술로 싸웁니다. 자라나는 아이들과 젊은이들이 음악이라는 기치 아래 하나가 되도록 말입니다."

세상에서 가장
아름다운 세탁소

이 세탁소에는 간판이 없습니다. 건물도 없습니다. 세탁기도 없습니다. 세탁소 주인도 없고, 세탁을 하는 사람의 특별한 기술도 없습니다. 그런데 그곳에서는 이 세상에서 가장 아름다운 빨래들이 뽀송뽀송 햇살에 말려져 나옵니다.

이 세탁소는 과연 어디일까요?

전라남도의 작은 마을에 세탁소 하나가 열렸습니다. 이 세탁소는 아무나 손님이 될 수 없습니다. 고객의 조건이 까다롭습니다. 반드시 그 지역에서 홀로 사는 노인들이어야 하니까요.

세탁소는 동화면사무소 옆 공터이고, 세탁기는 빨간색 대형 고무 대야입니다. 물을 공급하는 수도꼭지 대신에 장성소방서의 소방차가 출동했습니다.

세탁소 기술자들은 자격증이 없습니다. 노인들에게 도시락을 배달하다 보니 몸이 불편한 어르신들이 눅눅한 이불을 덮고 계신 모습을 보고 이불 빨래를 결심했다는 사람들, 이들 자원봉사자와 면사무소 직원들이 바로 이 세탁소를 운영하는 기술자들입니다.

장성 삼계 119안전센터 대원들이 소방차를 세 차례에 걸쳐 운행하며 작업을 지원하는 동안 자원봉사자들은 부지런히 이불 빨래를 했습니다. 그렇게 깨끗이 세탁된 이불은 햇살에 따뜻하게 말려져서 홀몸이신 노인들에게 되돌아갔습니다.

아마도 이불에 묻은 먼지와 얼룩만이 아니라 외로움과 지난날의 상처까지 깨끗이 세탁되었을 것입니다. 그리고 눅눅한 습기만이

아니라 슬픔과 아픔까지 초여름 햇살에 말끔하게 말랐을 것입니
다. 그렇기에 이 세탁소는 세상에서 가장 아름다운 세탁소이면서
세상에서 가장 위대한 세탁소임에 분명합니다.

아름다운 세탁소 이야기를 신문에서 접한 그날은 하루 종일 기분
이 참 좋았습니다. 한적한 마을의 면사무소 공터에 놓인 빨간 고무
대야, 그 속에 맨다리로 들어가 부지런히 홀로 사는 노인들의 이불
빨래를 하는 사람들. 그 이불 빨래들이 유월의 햇살과 따사로운 바
람에 뽀송뽀송 말라가는 풍경은 상상만 해도 흐뭇했습니다.

누군가를 돕는 일은 그리 많은 돈이 필요한 것도, 거창한 재능이
필요한 것도 아닐 것입니다. 작은 도움이라도 내 손길이 필요한 곳
이 없는지, 마음을 잘 기울여 보고 싶습니다.

입장 바꿔
생각하면

날씨가 쌀쌀했던 겨울 어느 날이었습니다. 매서운 추위에 버스 정류장에 있던 사람들은 옷자락을 여미며 버스를 기다렸습니다. 기다리던 버스가 오자 한 여자 승객이 버스에 오르면서 버럭 화를 냈습니다. 30분이나 기다렸는데, 도대체 왜 이제 오냐고요.

짜증을 부리며 화를 내는 승객에게 운전사는 이렇게 말했습니다.

"아, 여기 계셨군요! 죄송합니다. 난 아가씨를 찾으러 30분이나 사방을 헤맸지 뭡니까? 어서 오세요, 반갑습니다."

기다리면서 짜증이 난 승객에게 미안한 마음을 유머로 대답한 운전사의 재치에 승객들은 모두 환한 웃음을 지을 수 있었습니다. 그런데 사실, 그 버스는 사고 난 현장을 피해서 돌아오는 길이었습니다.

그렇게 사람들은 저마다의 애환이 있게 마련입니다. 그런데 우리는 내 입장만 생각하기 쉽습니다. 우스갯소리로 서울에서 시내버스를 타기 위해서는 최소한 네 가지 능력을 갖고 있어야 한다고 합니다. '눈이 좋아야' 버스 번호판을 멀리서 읽을 수 있고, '달리기 실력이 있어야' 아무 데서나 멈추는 버스를 탈 수 있고, '눈치가 빨라야' 차가 어디서 멈출지 예측할 수 있고, '인내심이 있어야' 언제 올지 모르는 버스를 기다릴 수 있다고 말입니다.

그런데 시내버스 기사인 안건모님의 《거꾸로 가는 시내버스》를 보면, 버스 기사님들도 똑같이 그 네 가지 능력을 가져야 한다고 합니다. '눈이 좋아야' 단속하는 경찰을 볼 수 있고, '달리기 실력이 있어야' 빨리 종점까지 달려서 화장실에 갈 시간을 낼 수 있고, '눈치가 빨라야' 버스 손님인지 아닌지 구별할 수 있고, '인내심이 있어야' 손님들과 하루 종일 싸우지 않을 수 있다고 말입니다.

이렇게 저마다 상황이 있고 입장이 있습니다. 그러나 서로의 얼굴은 볼 수 있지만 마음은 보이지 않아서 큰 실수를 하곤 하지요.

지금 내 앞에 있는 사람은 표정은 씩씩해 보이지만 인생의 가장 큰 역경에 처해 있는 사람일 수도 있습니다. 지금 내 곁에 있는 그 사람은 얼굴은 웃고 있지만 마음은 슬피 울고 있는지도 모릅니다.

고맙다, 고맙다,
참 고맙다

늘 "고맙다"는 말을 달고 사는 친구가 있습니다. 그 친구는 만나도 고맙다, 전화를 해도 고맙다, 헤어질 때도 고맙다, 전화를 끊을 때도 고맙다고 합니다. 그런데 절대 가식이 아닙니다. 정말 만날 수 있어서 고맙고, 목소리를 들을 수 있어서 고마운 마음이 얼굴과 목소리에서 느껴집니다.

사실 그 친구는 세상의 잣대로 보면 고마울 일이 하나도 없습니다. 가진 것도 없고 건강하지도 못합니다. 그런데도 늘 고맙다고 하니까 정말 다 가진 것처럼 보입니다.

서점에 서서 책장을 넘기다가 문득 이런 구절을 발견했습니다.

감사란 참 아이러니한 것이다.

정말 감사해야 될 것 같은 사람들은 감사할 줄 모르고,
거의 아무것도 없는 사람들은 많은 경우 감사하면서 살거든.

이 구절을 보고 고개를 끄덕이게 되었습니다.

감사해야 할 일이 넘치는 사람들이 있습니다. 번듯한 외모에 타고난 건강, 단란한 가족까지 지니고 있는 사람들일지라도 불만이 가득한 사람들을 보곤 합니다. 나는 아무것도 이룬 게 없다고, 우리 부모님은 너무 가진 게 없다고, 남들은 머리가 좋은데 나는 노력해야 한다고, 남들은 운이 좋은데 나는 운이 나쁘다고……. 그렇게 불평하는 사람들은 '감정의 극빈자'입니다. 그런데 반대로, 누가 보더라도 감사할 일이 없어 보이는 사람이 지극히 감사해하는 것을 보게 됩니다.

맛있는 반찬은 없지만 밥을 먹을 수 있다는 것만으로 감사하고, 그리 건강하지 못해서 병원 신세를 지고 있지만 목숨을 이어갈 수 있다는 것만으로 감사하고, 팔은 불편하지만 걸을 수 있다는 사실만으로 감사하고, 눈은 보이지 않지만 말을 할 수 있다는 것에 감사해하는 사람들이 있습니다.

감사해야 마땅한 일에 감사하는 일은 누구나 할 수 있습니다. 하지만 도저히 감사하게 여겨지지 않는 상황에서도 감사하며 웃는 사람은 정말로 많이 가진 부자들입니다.

내가 가진 것에 충분히 감사하고 기뻐하는 마음이야말로 진정한 부의 척도라는 생각이 듭니다. 아이들에게 물려주어야 할 최고의 유산 역시 돈도 집도 땅도 아닌, '감사할 줄 아는 마음'이 아닐지요. 그리고 내가 꼭 지녀야 할 다짐의 항목 역시 '감사하는 마음'이 아닐지요.

란드리,
란드리

"란드리, 란드리!"

스리랑카의 소녀들이 해맑게 웃으며 이렇게 외쳤습니다.

'란드리'는 스리랑카 말로 '감사합니다'라는 뜻입니다. 인도양 해상에 있는 섬나라 스리랑카, 그곳에서 온 여덟 살 락시카 양과 네 살 메갈라 양이 "란드리"라고 외친 이유는 무엇일까요?

어느 날 어지러운 세상사로 가득한 신문 한 귀퉁이에서 반짝이는 소식을 발견했습니다. 우리나라 어느 교수님이 세계의 아픈 어린이들을 위해 심장병 수술을 해오고 있다는 소식이었습니다. 선천적인 심장병으로 생사의 고비에 놓여 있던 스리랑카의 어린 두 소녀가 한국국제협력단을 통해 우리나라에 오게 되었고 심장병 수술까지 받을 수 있었던 것입니다.

어려운 고비를 넘기고 성공적으로 수술이 끝났을 때 여덟 살, 네 살의 소녀들은 환하게 웃으며 자꾸만 이 말을 외쳤다고 합니다.

"란드리, 란드리!"

세계의 힘든 사람들을 위해 일하는 우리나라 사람들이 참 많습니다. 민간 차원의 봉사가 활발하게 이루어지고 있는 것입니다. 자신의 직업이나 재능으로 봉사하는 사람들도 있고, 박봉이지만 한 달에 얼마씩 정기적으로 떼어내 세계의 힘든 지역으로 사랑의 씨앗을 보내는 사람들도 있습니다. 아프리카, 동남아시아 등 세계의 어려운 지역으로 의료봉사를 가는 의사들도 많아졌고, 힘든 상황이 터지면 곧바로 달려가 재난 구호봉사를 하는 사람들도 늘고 있습니다.

우리나라 역시 과거에 다른 나라에서 보내온 사랑의 손길을 디딤돌로 삼아 일어날 수 있었습니다. 그때 받은 사랑을 이제 우리가 되돌려 주고 있는 셈입니다.

사랑의 힘은 요란하고 복잡하게 드러나는 것이 아니라 씨앗처럼 조용히 퍼져서 이 지구에 화사한 꽃으로 피어나는 게 아닐까요?

죽어가는 아이를 살려 준 한국인에 대해서 한 아프리카 가족은 이렇게 말했다고 합니다.

"천사들이 사는 고마운 나라, 코리아"라고요.

우즈베키스탄에서는 "라흐맛"

베트남에서는 "깜 언"

아프리카에서는 "아산떼"

멕시코에서는 "그라시아스"

감사합니다, 감사합니다, 감사합니다……

온 세상에 부드럽고 따뜻한 메아리로 퍼져가는 그 인사를, 그리고 세상에 가득 피어난 꽃보다 더 아름다운 사람들을 떠올려 봅니다.

아버지와
추석빔

　추석이 다가올 무렵이면 아버지는 어린 네 딸의 새 옷을 사오셨습니다. 네 자매는 추석날 아버지가 사오신 추석빔을 입고 하루 종일 뛰어놀았는데 두꺼운 스웨터가 목에 닿아서 까끌까끌했던 기억이 납니다.

　아버지는 조금이라도 더 예쁜 옷을 찾느라 제주시까지 나가서 추석빔을 사오곤 하셨습니다. 그런 어느 날인가는 네 딸의 옷을 고르려고 여기저기 다니느라 피곤했던지 버스에서 깜빡 잠이 드셨다고 했습니다. 내릴 곳을 지나쳐서 종점까지 갔다가 부랴부랴 다시 버스를 갈아타셨는데 졸음을 쫓아내지 못하고 또다시 내릴 곳을 지나치고 말았다고 했습니다. 그때는 그 얘기를 들으며 잠이 많은 아버지가 재밌어서 킥킥대고 웃었습니다.

네 자매가 다 성장할 때까지 한 해도 거르지 않고 추석빔을 사오셨던 아버지. 그런 아버지에게 추석빔 한 번 마련해 드리지 못했다는 데에 생각이 미쳤던 것은 불과 몇 해 전이었습니다. 추석을 앞둔 어느 날 아버지가 "한번 다녀가라. 할 말이 있다"고 전화하셨습니다. 아버지 옷을 고르려고 백화점 매장을 여기저기 다니는데 얼마나 다리가 아프고 힘든지 매장 의자에 털썩 주저앉아 버렸습니다. 그때 갑자기 가슴 한쪽이 뜨거워졌습니다. 딸들에게 조금이라도 더 예쁜 옷을 고르느라 여기저기 다니셨을 아버지, 네 딸에게 줄 옷들을 담은 비닐봉투를 두 손에 가득 들고 버스를 타고 피곤해서 졸다가 내릴 곳을 지나쳐서 또 갈아타셨을 아버지 생각이 가슴 한 구석을 친 것입니다.

　　그런데 그때 아버지의 추석빔을 전해 드리지 못하고 말았습니다. 바쁜 일이 생겨서 곧 내려가겠다고 한 약속을 지키지 못한 것입니다. 추석이 지난 며칠 후 아버지한테 전화를 드렸더니 감기에 걸리셨다고 했습니다. "병원에 가보세요"하고는 전화를 끊었습니다. 그 다음 날 고향에서 전화가 왔습니다. 아버지가 위독하니 빨리 오라는 전화였습니다. '위독하다니……. 감기에 걸리셨을 뿐인데…….' 허둥대며 병원에 달려갔는데 병실 앞에 가족 친지들이 다 모여 있었습니다. 후들거리는 발길로 중환자실로 들어섰습니다.

아버지는 산소 호흡기를 매달고 누워 계셨습니다. 결국 아버지는 한마디 말씀도 못하시고 하늘나라로 가셨습니다. 아버지가 할 말이 있다고 하셨는데 하고 후회해도, 소용이 없고 곧 가겠다고 대답했는데 하며 용서를 빌어도 소용이 없었습니다. 의식 없는 아버지 손을 붙잡고 그동안 한 번도 못해 드렸던 말 "사랑합니다"를 아무리 부르짖어 봐도 소용이 없었습니다.

작년 추석 무렵에 새로 펴낸 내 책의 맨 앞장에 "아버지께 드립니다"라고 썼습니다. 그리고 아버지 산소에 찾아갔습니다. 그때 사놓고 아직 드리지 못한 아버지의 추석빔과 함께 책을 산소에 바쳤습니다. 아버지 무덤 앞에서 그 책은 비도 맞고 바람도 맞고 이슬도 맞겠지요. 그러나 그러면 또 어떻습니까.

추석 다음 날, 오빠에게서 전화가 왔습니다. 오빠가 말했습니다.
"아버지 산소에 갔더니 바람이 네 책을 한 장 한 장 넘기고 있는데, 마치 아버지가 네 책을 읽으시는 것 같더라."

하늘나라
선생님께

　고등학교 시절, 제주도 지역에서 유명한 시인이었던 선생님은 나에게 시를 가르쳐 주셨지요. 그리고 나를 대학에서 주최하는 백일장 행사마다 데리고 다니셨습니다. 어느 대학 백일장에서 대상을 받던 날, 선생님은 나에게 꼭 시인이 되라며 가지고 있던 시집 수십 권을 주셨습니다.

　선생님과 함께했던 문학의 밤, 시화전……. 내 고등학교 시절은 그렇게, 선생님과 문학으로 가득 채워져 있었습니다. 졸업하고 제주도를 떠나 서울로 유학을 온 후에도 선생님은 언제나 편지에 이런 말씀을 당부하셨지요. 시를 쓰고 있느냐고, 시를 쓰는 것을 잊지 말라고.

　그런데 나는 사는 게 바빠 선생님께 연락도 못 드리고 내 앞가림하기에 여념이 없었습니다. 그 후 대학을 졸업하고 나는 작가가 되었습니다. 선생님이 바라는 시는 쓰지 못하고 있지만, 드라마도 쓰고 소설도 쓰고 책도 내게 되었습니다.

어느 날 신문을 보다가 깜짝 놀랐습니다. 선생님이 나에 대한 이야기를 칼럼에 쓰신 것입니다. 나와 함께했던 문학의 밤과 시화전의 추억을 떠올리면서, 그때는 고등학교에 문학이 있고 낭만이 있었다는 말씀을 하셨습니다. 그리고 '자랑스러운 제자 송정림'이라고 써주셨습니다.

나는 오랫동안 연락도 못 드리고 살았는데 잊지 않고 이름을 불러주시다니, 마음 한구석에서 뜨거운 무언가가 올라와 신문을 가슴에 품은 채 한동안 움직일 수 없었습니다.

그런데 왜 연락조차 드리지 못했던 것일까요.

그 후 선생님은 내가 근무하던 학교로 당신의 새 시집을 보내 주셨습니다. 아름다운 시들로 가득한 시집을 보면서 내가 느낀 감동은 이루 말할 수 없었습니다. 그런데 그때에도 연락을 드리지 못했습니다.

옹색한 변명을 대자면 그때 나는 사막 같은 삶을 살고 있었습니다. 그 사막을 다 건너고 나면 고향에 가서 제일 먼저 선생님을 찾아뵈리라, 그리고 그동안 연락을 못 드려 죄송했다고 사과드리고 선생님과 함께 맛있는 것도 먹고, 그동안의 이야기를 실컷 풀어놓으리라 생각했습니다.

시간이 흘러 내가 쓴 책들을 가슴에 품고 드릴 선물도 준비하고 선생님을 찾아뵐 생각에 들뜬 마음으로 고향에 갔습니다. 공항에 마중 나온 선배에게 선생님이 지금 어느 학교에 계시는지를 물었습니다. 그런데 선배가 말하더군요.
"선생님, 두 달 전에 돌아가셨어."

나는 머리에서 발끝까지 있던 피가 순식간에 내려가는 듯했습니다. 다리에 힘이 풀렸습니다. 믿을 수 없는 얼굴로 "선생님이 왜…… 선생님이 왜……." 이 말만 반복했습니다. 선생님은 갑자기 간경화가 와서는 간암으로 진행이 되어 발병한 지 한 달 만에 돌아가셨다는데 선배의 그 말을 들으며 그만 무너지듯 주저앉고 말았습니다. "안 돼"라는 소리도 채 나오지 않아 속으로만 선생님을 불렀습니다.

그때 찾아뵈었어야 했는데, 그때 감사하다고 표현했어야 했는데…….
그때 선생님의 시가 정말 멋지다고 말씀드렸어야 했는데…….

226

죄송합니다. 정말 죄송합니다.

선생님, 하늘나라에서도 시를 쓰고 계신가요?

장발을 너풀거리며 이곳저곳 다니시면서 그곳의 아름다움을 시로 쓰고 계신가요?

언젠가 그곳에 가면 선생님을 만나 뵐 수 있겠지요.

그때 저를 따끔하게 꾸중해 주십시오.

키 작은 몽당연필이
잉크를 다 쓴 볼펜을 만나

잉크가 닳아 못 쓰게 된 볼펜이 하나 있습니다. 그 옆에 키가 아주 작아진 연필 하나가 있습니다. 한때는 어떤 이의 꿈과 희망을 그려 가며 멋진 생을 살았던 그들입니다. 하지만 이제 잉크가 다 떨어져 가는 볼펜도, 몽당연필 신세가 된 연필도 더 이상 주인이 찾아 주지 않습니다.

그 순간 누군가가 볼펜에서 심을 빼고는 몽당연필을 끼워 넣었습니다. 아무 쓸모도 없는 볼펜과 몽당연필이었지만 그들은 하나가 되어 다시 훌륭한 도구로 태어날 수 있었습니다.

잉크를 다 써버린 볼펜도, 수명을 다한 키 작은 몽당연필도 둘이 합해지니 근사한 물건이 되었습니다. 사람이라고 다르겠습니까. 나 혼자서는 보잘것없는 몽당연필이지만 볼펜자루 같은 사람을 만

228

나 대단한 인물로 거듭날 수도 있습니다.

평생 우정을 나눌 단 한 사람만 있어도 그 사람은 부자라는 말이 있습니다. 그런 우정을 나눌 친구는 주로 청소년기에 만나곤 합니다. 흐뭇하게 미소 짓게 하는 친구들의 이야기가 있습니다.

난치병에 걸려 팔다리를 움직일 수 없는 상태로 1년 동안이나 꼼짝없이 누워 있던 한 청년이 쓴 글 중 기억에 남는 이야기입니다.

그는 원래 별을 무척 좋아하는 청년이었지만, 투병 생활을 하고부터는 밤하늘을 쳐다볼 기회를 좀처럼 갖지 못했습니다. 그렇게 삶의 의지마저 사라져 가던 어느 날, 130년 만에 나타난 유성을 볼 수 있다는 날이 찾아왔습니다.

그에게 친구가 함께 별을 보러 가자고 말했습니다. 그는 만사가 귀찮아서 싫다고 했습니다. 몸을 움직이기조차 싫었던 것입니다. 하지만 친구는 끈질기게 그를 설득했고, 할 수 없이 친구의 말을 따라야 했습니다.

친구는 그의 몸에 무리가 가지 않도록 자리에 모포를 깔고 조심스럽게 차를 몰아 하늘을 보기에 좋은 위치에 자리를 잡아 주었습니다. 그는 그저 모포 밖으로 고개를 내밀고 밤하늘을 바라보기만 하면 됐습니다. 그때 바라본 밤하늘은 무척이나 아름다웠습니다.

별이 탈 대로 다 탄 다음에 최후의 순간에 빛을 발하는 유성. 그는 유성의 메시지를 가슴으로 깊이 전해 받을 수가 있었고, 살아 봐야겠다는 의지를 다시 한 번 추스를 수 있었다고 합니다.

별 하나가 한 사람의 삶을 구하고 작은 우정의 마음이 한 친구의 삶을 구원한 아름다운 글을 접하고 나는 생각했습니다. 지금 내 작은 정성이 친구 하나를 구원해 줄 수도 있다는 사실을 말이지요. 한 조각의 별이, 희미한 달빛 하나가 내가 사랑하는 사람을 구원해 줄 수도 있을 것입니다.

우리가 서로를 안다는 사실만으로 기뻐할 수 있다면, 우리가 나약한 사람이라는 것을 깨달을 수 있다면, 비록 그 철학에 찬성하지 않는다 하더라도 서로가 사는 법을 이해할 수 있다면, 그렇다면 연인이 되는 것에 그치지 않고 친구도 될 수 있다고, 시인 브라운은 이야기했습니다. 그렇게 그는 사람이 지닌 가장 이상적인 관계를 사랑이 아니라 우정이라고 보았습니다.

가슴 깊숙이 존재하지만 바빠서 연락도 못하고 지낸 친구가 있다면 지금 바로, 수화기를 들어 보십시오. 어쩌면 안녕하다는 안부가 친구의 마음을 행복으로 채워 줄지도 모릅니다.

그냥
웃지요

고난을 참 많이 겪은 선배가 있습니다. 그런데 그렇게 힘들어도 선배는 늘 웃습니다. 한번은 웃을 수 있어서 다행이라는 내 말에 이렇게 말했습니다.

"난 웃는 연습을 해. 잠에서 깨어 일어나면 가장 먼저 웃고, 자기 전에 또 웃어. 요즘은 자면서도 웃는 연습을 해."

선배에게 웃음은 곧 살아가기 위한 방편이며 살기 위한 수단이었습니다.

선배는 힘들 때면 늘 첫 마음을 떠올린다고 했습니다. 끼니조차 잇지 못하던 시절도 있었는데, 이 사람을 그토록 만나고 싶어 했던 시절도 있었는데, 이 일을 그렇게 하고 싶어 했는데…… 그렇게 첫 마음을 생각하면 지금의 고난도 감사하게 여겨진다고 말입니다.

동화작가 정채봉님의 《처음의 마음으로 돌아가라》에는 이런 이야기가 실려 있습니다.

사흘이 멀다 하고 싸우는 까치 부부가 산까치 도사를 찾아가서 이렇게 말합니다.

"처음에는 저희 집이 안락 둥지였습니다. 그러나 지금은 걱정 불평 둥지입니다. 귀신이 붙은 것 같사오니, 그것들을 쫓아낼 비방을 좀 가르쳐 주십시오."

그러자 산까치 도사가 이렇게 말합니다.

"우리들은 기쁨을 '까치까치까치' 하지요. 마찬가지로 불평도 '까치까치까치' 하지요. 그렇게 기쁨과 불평도 한 입에서 나오는 것입니다."

산까치 도사는 이런 말을 덧붙입니다.

"처음 둥지를 틀던 첫 마음으로 돌아가십시오. 그러면 불평이 걷히고 기쁨이 나타날 것입니다"라고 말입니다.

시선을 맞추는 것만으로도 충분히 행복했던 첫 마음, 그저 일을 가졌다는 것만으로도 충분히 설레던 첫 마음……. 그 첫 마음은 어디로 가버린 걸까요? 행방불명 중인 그 첫 마음을 찾아서 오래오래 잘 간직하고 싶습니다.

꿈꾸는
택배 청년

택배가 와서 문을 열자 스무 살이나 됐을까 싶은 앳된 얼굴을 한 청년이 서 있었습니다. 물건을 받고 돌아서려는데 청년이 덜덜 떨면서 간신히 말을 건넸습니다.

"저……, 작가 선생님이시죠?"

나는 유명한 작가도 아닌데 나를 어떻게 아느냐고 물었습니다. 그랬더니 청년은 자기 꿈이 작가여서 알게 되었다고 했습니다. 내가 열심히 하라고 응원해 주고 돌아서려는데 청년이 다시 말을 걸었습니다.

"저…… 저……."

청년은 가까스로 말문을 떼더니 몇 번이나 연습을 한 듯 어렵게 용기를 내서 말했습니다.

"저기, 아, 악수 좀 해도 될까요?"

청년의 말에 나는 웃으며 손을 잡아 주고는 꼭 꿈을 이루라고 말했습니다.

"감사합니다! 정말 감사합니다!"

청년은 몇 번이나 고개를 꾸벅이곤 옆집으로 또 다른 물건을 배달하러 갔습니다.

집에 들어서서 생각해 보니 그 청년이 내게 말을 걸기까지 얼마나 많은 용기가 필요했을까 싶었습니다. 나 역시 그런 시절이 있었으니까요.

나는 얼른 내 책 한 권에 사인을 하고 "꿈을 꼭 이루세요"라고 메모를 한 뒤 현관문을 열었습니다. 청년이 옆집에 물건을 배달하고 걸어오고 있었습니다. 책을 내밀자 청년의 얼굴에 놀라는 표정이 퍼지더니 환하게 웃으며 책을 받았습니다. 그리고 메모와 사인을 몇 번이고 들여다보며 눈물을 글썽였습니다.

그 청년의 순수한 꿈이 고마웠습니다. 순수한 택배 청년 덕분에 스무 살 시절, 꿈을 간절히 품었던 그 시절로 돌아가 한동안 설레었습니다.

붕어빵 장수의
철학

내가 대학 다닐 때 학교로 올라가는 길목에 붕어빵을 파는 아저씨가 있었습니다. 사람 좋은 웃음을 지으며 붕어빵을 파는 아저씨는 고생을 많이 한 탓인지 나이가 꽤 들어 보였지만, 나이를 물으면 아직 30대 초반밖에 안 됐다며 헤헤 웃었습니다. 아저씨는 마치 붕어빵 파는 일이 천직인 듯 행복해 보였지요. 우리가 "하나 더 주세요!"라고 떼를 쓰면, 언제나 헤헤 웃으며 하나를 더 내주곤 했습니다.

언젠가 나는 장난처럼 아저씨에게 물었습니다.

"아저씨는 왜 만날 웃어요? 아저씨도 고민이 있어요?"

그러자 아저씨는 특유의 웃음을 헤헤 웃으며 대답했습니다.

"어떻게 하면 붕어빵을 맛있게 만들까, 그 고민을 해요."

무슨 고민이 그렇게 시시하냐며 나와 친구들은 깔깔 웃었습니다.

그러나 아저씨는 진지한 얼굴로 대답했습니다.

"붕어빵 하나지만 맛있게 만드는 게 진짜 어려워요."

그러던 어느 날, 시험 기간이라 새벽에 학교로 향하는 골목을 올라가는데, 붕어빵 아저씨가 조깅복을 입고 부지런히 달리고 있었습니다. 벌써 동네 한 바퀴를 돌고 오는지 얼굴에서 땀이 흐르고 있었습니다. 그렇게 아저씨는 밤늦게까지 붕어빵을 팔고 나서도 새벽에는 늘 운동을 하면서 자기 관리를 하고 있었습니다.

그리고 나중에야 알게 되었지요. 붕어빵을 판 돈을 한 푼, 두 푼 모아서 학교에 장학금으로 낸다는 사실을 말입니다. 학생들이 붕어빵을 사주어서 모은 돈이니까 그 학생들이 다니는 학교에 돌려주는 게 옳다는 것이 아저씨의 생각이었습니다.

그의 인생관은 어떤 고매한 철학자보다 진지하고 깊었습니다. 붕어빵 장사를 하지만 언제나 자신의 일에 당당했습니다. 그 일을 사랑하고 굉장히 중요하게 생각하는 듯했습니다. 그 일을 통해 번 돈으로 사회에 환원도 할 줄 알았습니다.

학교에는 다녀 본 적도 없는 것 같고, 잘생기지도 않았고, 키가 크지도 않고, 성격은 순박함을 넘어서 바보 같을 정도였지만, 그는 어떤 명사나 스타보다 멋진 사람이었습니다.

나는 학교를 졸업한 후 TV 다큐멘터리를 보다가 깜짝 놀랐습니다. 그 붕어빵 아저씨가 우리 학교 학생과 결혼을 했다는 것입니다. 붕어빵을 파는 노총각과 여대생의 결혼은 화제가 되기에 충분했고, 한동안 사람들 입에 오르내렸습니다.

학벌과 외모를 떠나 인간의 내면 자체만 들여다본 그 후배도 대단했고, 세상 잣대로 보면 도저히 이루어질 수 없을 것 같은 사랑을 기어이 이루어 낸 그 아저씨도 참 대단하다는 생각을 했습니다.

한동안 친구들 사이에서도 붕어빵 아저씨의 결혼이 화제에 올랐습니다. 그리고 모두가 기원했지요. 그 착한 아저씨 부부가 오래오래 영원히 행복하게 잘 살았으면 좋겠다고요. 그는 여전히 행복하게 살고 있다고 누군가가 전해 주었습니다.

착한 사람들이 언젠가는 복을 받는 이유를 알 것 같습니다. 그 마음에 감동받은 사람들이 모두 복을 빌어 주기 때문에 언젠가는 꼭 복을 받는 것입니다.

그 사람이
있는 한

아무리 바빠도 마음이 아픈 나를 위해 시간을 비워 두고 조용히 내 얘기를 들어 줄 그런 사람……. 어깨를 맞대고 오래 걸으며 내가 좋아하는 노래를 불러 줄 그런 사람……. 안개꽃을 한 아름 안고 그보다 더 큰 웃음으로 선뜻 예고도 없이 들어서는 그런 사람……. 내 슬픔을 위해 나보다 더 슬피 울어 주고 내 기쁨을 위해 나보다 더 크게 웃어 주는, 내 건강을 위해 내가 쥔 술잔을 빼앗아 마셔 주고, 내 미소를 보기 위해 시문 춤이라도 보여 줄 수 있는, 내가 만나고 싶은 그런 사람…….

인생의 참 기쁨을 아는 사람, 인생의 고통을 이해할 수 있는 사람, 사람이 사람을 위한다는 것이 무엇인지 아는, 큰 용기를 가진 그런 사람……. 무작정 만나고 싶은 그런 사람이 있습니다.

그러니 내 삶은 결코 헛되지 않은 거겠지요.

참 소중한
인연

친구 사이의 우정이 인생에서 얼마나 중요한지를 말해 주는 여러 가지 일화들이 있습니다. 그중에서도 독일의 화가 알브레히트 뒤러의 우정 이야기는 특히 유명합니다.

뒤러는 친구와 함께 한 스승 밑에서 그림 공부를 했습니다. 하지만 둘 다 학비가 없어서 공부를 중단해야 했습니다. 그래서 둘은 한 사람이 돈을 벌고 다른 한 사람은 공부를 하고, 그 다음에는 서로 맞바꾸어 하기로 약속했습니다. 먼저 뒤러가 친구의 도움을 받아 공부를 했고, 화가로 성공했습니다. 이제 일하면서 자신을 뒷바라지한 친구와 교대를 할 차례였습니다.

뒤러는 자신을 도와준 친구를 찾아갑니다. 그런데 친구의 손은 이미 너무 거칠고 휘어져 그림을 그릴 수 없게 되었습니다. 이런 상황이면 뒤러를 원망할 만도 한데, 친구는 오히려 뒤러가 훌륭한 화가가 되게 해달라고 기도하고 있었습니다. 그런 친구를 발견한 뒤 러는 우정에 감동을 받아 친구의 손을 그렸습니다. 그것이 바로 〈기도하는 손〉이라는 작품입니다.

발타자르 그라시안은 《성공을 위해 밑줄 긋고 싶은 말들》이라는 책에서 성공을 위해서라도 가장 중요한 것이 친구라고 강조합니다. 특히 친구 중에서도 때로는 따끔하게 충고할 줄 알고, 나의 잘못된 생각을 바로잡아 주는 친구가 최고라고 말합니다. 만나고 돌아오면 내 생각이 한층 깊어지는 친구, 만날 때면 뭔가 하나라도 더 배우게 되는 인생 경험이 풍부한 친구. 그런 친구라면 목숨을 걸고 우정을 지키라고 조언합니다.

우리가 맺고 사는 인연 중에는 수많은 이름들이 있습니다. 그 빽빽이 들어찬 이름 중에서 떠올리기만 해도 마음이 따뜻하고 넉넉해지는 이름은 바로 친구의 이름이 아닐까요?

친구가 소중한 줄 알면서도 삶에 치이다 보니 친구를 잊고 사는 경우가 많습니다. 지금 그 친구에게 전화를 걸어 보는 건 어떨까요? 그래서 "그동안 연락 못 해 미안했다"고 전해 보는 것은 어떨까요?

우리가 사는 일 중에 가장 소중하고 시급한 것은 내 오랜 친구를 만나는, 바로 그 일인지도 모릅니다.

어머니께 보낸
편지

손으로 또박또박 쓴 편지……. 언제 써보았는지 가물가물합니다
만, 우정사업본부는 편지쓰기 문화의 저변 확대를 위해서 2000년
부터 매해, '전국 편지 쓰기 대회'를 열고 있습니다.
몇 해 전 그 대회에서는 소아마비로 두 다리를 못 쓰는 40대 딸이
치매와 중풍으로 병상에 누운 70대 어머니에게 보낸 감사편지가
대상을 받았습니다.

어머니는 12년 동안 중풍으로 누워 있던 남편의 병수발을 하며
소아마비로 걷지 못하는 딸을 키우기 위해 안 해본 일이 없었다
고 합니다.

그런 '어머니께 드리는 편지'는 이렇게 시작됩니다.

"치매로 글을 모르시는 당신에게 40년 만에 처음 편지를 드립니다. 이 딸이 평생을 걸을 수 없는 것처럼, 당신 또한 잃어버린 기억을 영원히 되찾을 수 없다는 현실이 너무도 서럽습니다."

딸의 편지는 계속 이렇게 이어졌습니다.

"어머니, 당신에게 어머니라고 부를 수 있는 이 감사의 시간이 저에게 얼마나 더 허락될지 지금은 알 수 없지만 당신이 이승을 떠나는 그날까지, 아니 제 생명이 끝나는 순간까지 당신을 존경하고 사랑합니다."

어렸을 때 어머니는 두 다리가 불편해 밖에 나가지 못하는 딸을 위해 봄이면 개나리를 꺾어다 주고, 가을이면 낙엽을 책갈피에 끼워 줬다고 합니다.
그 추억은 이렇게 편시에 쓰여졌습니다.

"노란 개나리꽃으로 덮여 있는 산을 구경시켜 주신다며 저를 업으셨다가 대문 밖에서 넘어지는 바람에 저는 이마를 다쳐 피를 흘렸죠. 당신은 피를 흘리는 저를 부둥켜안고 '미안해, 미안해' 하며 우셨습니다. 어머니와 저는 그렇게 길바닥에 주저앉아 얼마나 많이 울었던가요……."

치매 정밀검사를 받기 위해 병원에 입원했을 때 의사만 보면 손
을 붙들고 "우리 딸 좀 고쳐 달라"고 떼를 쓰고, 휠체어 탄 사람을
보면 "우리 딸 휠체어니까 망가지지 않게 조심해서 타라"고 당부
하던 어머니……. 딸을 언니라고 부르고 이모라고 부르면서도 딸
을 걱정하는 마음은 놓지 않던 어머니에 대한 마음을 딸은 편지
에서 이렇게 마무리했습니다.

"장애 때문에 어머니를 밖에 모시고 갈 수 없는 처지가 원망스럽
습니다. 하지만 몇 개월에 한 번쯤 어머니가 가족을 알아볼 때는
천만금을 얻은 것보다 더 행복하고 감사합니다."

치매 때문에 글을 읽지 못하는 어머니에게 "눈으로 읽지는 못해
도 마음으로 읽어 달라"며 보낸 편지……. "나중에 후회가 없도
록 어머니한테 잘해 드리겠다"고 약속하는 말로 끝나는 편지를
읽는데 눈물이 흘렀습니다.
그리고 문득 어머니께 손으로 쓴 편지를 보내 보고 싶다는 생각
을 했습니다.

어머니는 내 편지를 받으시면 우선 편지지를 손으로 자꾸만 자꾸만 쓸어 보시겠죠.

그리고 "내 딸아, 내 딸아..." 우선은 불러 보시다가 편지글을 소중하게 읽어 보실 것 같습니다.

편지지 한 장을 꺼냅니다.

그리고 써 봅니다.

"사랑하는 어머니께……."

순수한 사람은
힘이 세다

어느 극단에서 배우들을 모집했습니다. 그런데 이력서에 최종학력을 쓰지 말고 졸업한 초등학교만 쓰라고 했습니다.

"어느 학교 나오셨어요?"

이 질문은 주로 최종학력을 묻는 것입니다. 하지만 그 극단의 대표는 최종학력이 아니라 어느 초등학교를 나왔는지만 묻겠다고 했습니다. 그러곤 아예 이력서에 최종학력 쓰는 칸을 없애고 초등학교를 쓰는 곳만 남겨 두었습니다.

그 극단의 대표는 왜 초등학교만 쓰라고 했을까요? 아예 학력을 쓰는 곳을 전부 없애면 없앴지, 초등학교를 기록하는 칸은 왜 남겨 둔 것일까요?

《내가 정말 알아야 할 모든 것은 유치원에서 배웠다》라는 책 제목처럼, 어쩌면 우리가 보다 중요한 것을 배운 곳은 유치원이나 초등학교가 아닌가 싶습니다.

극단 대표의 마음을 다 알 수는 없지만 초등학교 때 배운 인생의 기본 법칙만은 지키고 살라는 의도는 아니었을까요? '결석하지 마라, 지각하지 마라, 청소 잘해라, 인사 잘해라, 약속을 잘 지켜라⋯⋯. 이렇게 성실과 신념의 중요성은 초등학교 때 이미 다 배웠다. 사회생활에서 더 이상 무엇이 필요하겠는가.' 극단 대표는 아마 이런 생각을 갖고 있었던 듯합니다.

그리고 어쩌면, 다른 건 몰라도 어린 시절 추억만은 가슴에 간직하고 살라는 의도가 있었던 것은 아닐까 싶습니다.

코흘리개 시절 낙엽 흩어지던 운동장에서 시간 가는 줄 모르고 함께 뛰어놀던 친구들, 예쁜 미소를 지어 주던 여선생님과 호되게 야단쳐 주시던 선생님들, 교정에 서 있던 철봉과 그네, 태평양보다 넓었던 운동장⋯⋯.

그 추억들을 간직하고 있다면 아직은 순수한 사람이고, 순수한 사람은 힘이 세다는 사실을 그 극단 대표는 믿고 있었을지도 모르겠습니다.

좋은 드라마
계속 써주세요

연속으로 아침 드라마 두 편을 끝내고 나니 몸과 마음이 많이 아팠습니다. 드라마를 더 이상 쓸 수 없을 것 같은 절망감이 몰려왔습니다. '아직 제대로 쓴 게 하나도 없는데……' 하는 생각에 먹먹해졌습니다.

그럴 즈음, 아시아의 드라마 작가들이 모이는 아시아 작가 컨퍼런스에 참가하기 위해 일본 후쿠오카에 가게 되었습니다. 그 컨퍼런스에 우리나라 대표로 참여한 작가들은 다 내로라하는 작가들이었습니다. 〈해를 품은 달〉〈전원일기〉〈아들과 딸〉〈파스타〉〈반짝반짝 빛나는〉〈다모〉 등 대표작들을 가지고 있는 작가들이 참여했지요.

컨퍼런스 장에 일본 여인이 찾아왔습니다. 50대로 보이는 여인은 후쿠오카 지역에서 아시아 작가 컨퍼런스가 열린다는 뉴스를 보고 작가 명단을 확인했고, 컨퍼런스가 열리는 호텔까지 찾아온 것이었습니다.

그런데 이상한 일은 여인이 그 많은 유명 작가들 중에서 유독 '송정림 작가'를 찾았다는 것입니다. 나는 너무 놀라 왜 나를 찾아왔느냐고 물었습니다. 그랬더니 이렇게 대답하더군요.

"어제 선생님이 쓰신 드라마 〈녹색마차〉 마지막 회를 방송했습니다. 죽고 싶은 마음뿐이었는데 선생님이 쓰신 마지막 회 대사가 저를 살게 했습니다."

여인은 한국 드라마를 좋아해서 한국말을 배웠다고 하면서 더듬더듬 시든 한국말로 이런 말을 전해 주었습니다.

"저는 가족들, 친지들, 친구들……. 다른 사람들을 위해 살아왔습니다. 그런데 가장 가까운 사람들이 저를 힘들게 했습니다. 그 배신감에 죽고 싶었습니다. 그런데 선생님이 쓰신 〈녹색마차〉의 마지막 회에서 주인공이 이런 독백을 하는 거예요.

'녹색마차는 이기려는 사람보다 더불어 살아가는 사람들을 행복의 나라로 데려다 준다'고요. 그 대사가 저를 살렸습니다. 그래서 고마운 선생님을 꼭 뵙고 싶었습니다.

선생님, 앞으로도 좋은 드라마 많이 써주세요."

내 손을 잡고 계속 "고맙다, 고맙다"고 눈물을 보이는 그녀를 보며 할 말을 잊은 채 먹먹해진 가슴으로 같이 눈물을 글썽였습니다.

내 드라마 한 편이 한 사람의 인생을 구했다면 그걸로 된 거 아닌가, 나는 정말 행복했습니다. 드라마를 그만 쓰고 싶다는 생각을 언제 했냐 싶게 의지와 용기가 생겼습니다.

컨퍼런스를 마치고 이틀간 더 머물며 규슈 지역을 여행했습니다. 그런데 귀국하는 날, 공항에 갔더니 또 그 일본 여인이 기다리고 있는 게 아니겠습니까. 여인은 작은 선물을 들고 나를 전송하기 위해 나와 있었습니다.

그 훌륭한 작가들을 다 놔두고 나를 찾아와서, 이제 드라마를 더 이상 못 쓸 것 같은 절망에 빠져 있는 나를 찾아와서, 좋은 드라마를 써달라고 부탁하는 그 여인은 누구였을까요?

문득 그런 생각이 들었습니다.

'그 여인은 천사다. 내가 실의에 빠져 있을 때 나를 일으키기 위해서 신이 보낸 천사임에 틀림없다. 아직은 드라마를 그만둘 때가 아니라고 일러 주러 신이 보낸 천사임에 틀림없다……'

주인님,
이제 좀 쉬세요

　60대 중반의 나이에도 활발하게 집필을 하는 존경하는 선배가 계십니다. 그 선배에게는 고양이 한 마리가 있는데, 길 잃은 고양이를 데려다 기르다가 정이 깊이 들었다고 합니다.

　선배가 오랜 기간 연속극을 쓸 때였습니다. 며칠 밤을 새우고도 원고가 잘 나오지 않아 미칠 것만 같았습니다. 식사도 못 하고 잠도 못 자고 컴퓨터 앞에 앉아서 끙끙거리고 있었습니다. 너무 지쳐서 똑바로 앉아 있을 수도 없었습니다. 쉬고 싶지만 원고를 빨리 써달라는 독촉 때문에 그럴 수가 없었습니다. 딱 죽고만 싶었습니다.

　등을 굽히고 어깨를 축 내리고, 그렇게 앉아서 간신히 자판을 치는데 고양이가 자판 위에 올라가 화면을 가리며 움직이지를 않았습니다.

"비켜. 글 써야 돼."

고양이는 아무리 사정해도 비키지 않았고, 들어서 밑으로 옮겨 놓으면 다시 올라와서 자판과 화면을 가려 버렸습니다.

"너 정말 왜 이래? 원고 써야 된다니까!"

그래도 고양이는 비키지 않고 애원하듯 선배를 바라보았습니다. 고양이의 눈을 들여다보니 고양이가 하는 말이 들리는 듯했습니다.

"주인님은 쉬셔야 돼요. 너무 지치셨어요."

선배는 고양이가 전하는 호소에 가슴이 뭉클해졌습니다. 그리고 못 이기는 척 의자에서 일어났습니다. 고양이가 신이 나서 선배를 밖으로 이끄는 듯 먼저 나갔습니다. 선배도 고양이를 따라 나갔습니다.

고양이와 함께 동네 한 바퀴를 산책했습니다. 푸른 나무를 보니 그동안 컴퓨터 화면만 보느라 침침했던 눈이 환해졌습니다. 펴지지 않던 허리가 펴졌습니다. 싱그러운 바람이 뺨 위를 스치자 이제야 살 것 같았습니다. 몸과 마음이 자연의 배터리로 가득 채워지는 듯했습니다.

선배는 고양이를 꼬옥 끌어안았습니다.

"네가 날 살렸구나. 고맙다."

사랑의
유효기간

옛날, 사랑에 빠진 카자르의 한 공주는 사랑이 빨리 사라지는 것이 너무 안타까웠습니다. 그래서 거북이 등에 사랑하는 사람의 이름을 새겨 넣었습니다. 지금은 공주도, 공주가 사랑한 사람도, 카자르라는 나라도 사라져 버렸습니다. 그렇지만 거북이의 등에 새긴 그 사랑은 거북이와 함께 300년을 살았습니다.

꽃, 봄, 첫눈, 미모, 젊음······. 영원히 붙잡아 두고 싶지만 시간이 가면 허망하게 사라져 버리는 것들이 참 많습니다. 그중에서도 속절없이 지는 꽃처럼 자취도 없이 사라져 버리는 사랑만큼 아픈 것이 또 있을까요? 그래서 카자르 공주는 인간보다 훨씬 오래 사는 거북이의 등에 사랑하는 사람의 이름을 새겨 넣었겠지요. 그렇지만 영원하지 않다는 것을 알기에 안타깝고, 사라져 버리기 때문에 지키려고 노력하는 까닭에 사랑이 더욱 아름다운 것은 아닐까요?

얼마 전 미국 코넬 대학 인간행동연구소의 신디아 하잔 교수팀이 인간의 사랑은 유효기간이 얼마나 되는지를 연구했습니다. 연구 결과, 두근거리는 사랑의 감정은 길어야 30개월이라는 결론이 나왔습니다. 사랑이라는 감정도 두뇌의 화학적 작용에서 비롯된 결과라는 것입니다. 뇌에 있는 화학물질인 호르몬이 분비되면서 그것이 사랑이라고 느끼게 한다는 것이지요. 그 발표가 있은 후 사람들은 사랑을 '호르몬의 장난'이라며 냉소적인 우스갯소리로 말하곤 했습니다.

사랑에도 통조림처럼 유효기간이 있다는 것이 과연 맞는 말일까요?

그리스·로마 신화에서는 그리스 연합군의 제갈공명 격인 오디세우스의 아내 페넬로페의 사랑이 지고지순하기로 손꼽힙니다. 10년에 걸친 트로이 전쟁, 그리고 전쟁이 끝난 후에도 10년이 지나도록 오디세우스는 돌아올 줄 몰랐습니다. 그동안 오디세우스의 아내 페넬로페에게는 많은 유혹이 있었습니다. 그러나 페넬로페는 흔들리지 않았습니다. 결국 모진 고난을 겪고 20년 만에 고향으로 돌아온 남편과 다시 만난 페넬로페는 숭고한 사랑의 대명사가 되었습니다.

물론 신화 속의 페넬로페보다 더 오래 상대방을 기다리며 사랑의 영원성을 입증한 이야기들도 꽤 많습니다. 50년간 남편을 기다리다가 재가 되고 마는 설화도 있고, 실제로 평생을 기다림 속에 사는 사람들도 있습니다. 그들에게 사랑의 유효기간을 묻는다면 과연 뭐라고 대답할까요?

어느 영화에서 "나를 보면 아직도 심장이 뛰어요?"라고 묻는 부인에게 남편이 장난스럽게 말하지요.

"우리, 연애 4년에 결혼 3년이야. 아직도 심장이 뛰면 그건 심장병인 거 같은데."

사랑은 그렇게 처음에는 떨리고 설레는 단계를 거쳐서, 나중에는 공기처럼 소중하고 없으면 못 살지만 늘 숨 쉬고 있어서 익숙해지는 단계로 격상되고 승화되는 것이 아닐까 싶습니다. 사랑에는 '유효기간'이 있는 게 아니라 사랑의 '성숙 단계'가 있는 것이 아닐까 하는 생각을 해봅니다.

고맙다는
말 대신

어느 날, 어머니 눈에 고인 눈물을 봐버렸습니다. 글썽해진 눈매에서 자식을 얼마나 걱정하는지 알아 버렸습니다. 돌아서서 걸어가는 어머니의 등이 많이 굽어 있었습니다. 가슴이 덜컹 내려앉았습니다.

어느 날, 아버지가 호탕하게 웃으며 축 처진 자식의 어깨를 툭툭 쳐주셨습니다. 그런데 돌아서서 걸어가는 아버지의 등이 더 쓸쓸했습니다. 아버지 어깨가 언제 저렇게 낮아지셨나, 가슴 한쪽이 서늘해졌습니다.

걱정만 끼쳐 드린 자식은 어버이의 뒷모습을 보며 이 말만 입속에서 되뇌었습니다.

"죄송합니다. 정말 죄송합니다."

부모님께 고맙다는 말을 전해야 하는데 왜 죄송하다는 말부터 먼저 튀어나오는 걸까요? 부모님을 떠올리면 가슴 한쪽이 시큰거리면서 그저 이 말만 되풀이하게 됩니다.

"어머니, 아버지, 죄송합니다. 정말 죄송합니다."

고마움이 너무 커서 차마 고맙다는 말보다 죄송하다는 말부터 나오는 게 자식인가 봅니다.

언젠가 인터넷에서 누군가의 고백을 읽은 적이 있습니다.

아들은 한쪽 눈이 멀어서 다른 쪽 시력까지 안 좋아진 어머니가 부끄러웠답니다. 아버지 없이 혼자 자식을 키우느라 갖은 고생을 하는 어머니, 그래서 행색이 초라할 수밖에 없는 어머니가 창피했습니다. 그래서 학창 시절에 어머니가 학교에 오면 숨어 버리곤 했습니다.

명문 대학을 졸업하고 좋은 회사에 입사하고 결혼해서 아이를 낳을 때까지 어머니를 부끄러워하는 마음은 가시지 않았고, 그저 한 달에 한 번 정도 찾아뵙고 의무를 이행하듯 용돈이나 드리고 오곤 했습니다. 하지만 작은 푼돈밖에 안 되는 용돈도 어머니는 받으려 하지 않으셨습니다. 한 푼이라도 더 모아서 얼른 집 장만을 해야 한다며, 오히려 어머니는 폐지를 주워 모은 돈을 내주시곤 했지요. 그러면 또 아들은 어머니한테 궁상을 떤다고 짜증을 내곤 했습니다.

아들은 몰랐습니다. 혼자 사시는 어머니가 오래전부터 병을 앓아왔다는 사실을……. 어머니가 시한부 선고를 받고 혼자 투병을 하면서도 아들 앞길에 장애라도 될까 봐 홀로 그 사실을 숨겨 왔다는 것을 아들은 까마득하게 몰랐습니다.

얼마 후 어머니는 돌아가셨습니다. 어머니가 돌아가신 후 아들은 기가 막힌 사실을 알게 되었습니다. 어머니의 한쪽 눈이 실명한 것은 바로 어린 아들에게 그 눈을 주었기 때문이었습니다. 어린 시절 놀다가 사고를 당하면서 한쪽 눈을 보지 못하게 된 아들에게 어머니는 기꺼이 한쪽 눈을 내주었던 것입니다. 그것도 모르는 아들은 시력을 잃은 어머니를 평생 부끄러워했습니다. 그리고 홀로 외롭게 돌아가실 때까지 아무것도 해드린 것이 없었습니다.

회한에 잠겨 통곡하는 아들에게 어머니는 이런 편지를 남겼습니다.
'엄마가 너에게 해준 것이 없어서 참 미안했다…….'

살아 있는 생명은
모두 소중하다

어떤 농부는 말합니다. 밭에서 일을 하면서 조심하게 되는 것이 여럿인데 그중에 제일은 지렁이를 다치지 않게 하는 일이라고 말이지요. 작물의 여린 순들도 옮겨 심을 때 여차하면 줄기가 부러지므로 조심해야 하지만, 지렁이를 더 중요하게 생각하는 이유는 지렁이가 생태농업에서 가장 큰 일꾼이기 때문입니다. 지렁이 한 마리가 1년에 만들어 내는 거름이 평균 10킬로그램이나 된다고 합니다. 그러고 보면 지렁이의 생명도 정말 소중하고, 지렁이가 온 우주에 대단한 일을 하고 있는 셈입니다.

우리 선조들은 먼 길을 갈 때 짚신 여러 켤레를 마련해서 떠났다고 합니다. 그중 절반은 오래 신을 수 있도록 단단하게 삼고, 나머지는 성글게 삼았습니다. 기왕이면 모두 오래 신을 수 있도록 단단하게 만들지 왜 성긴 짚신을 따로 만들었을까요?

산길에는 개미 같은 작은 벌레가 많아 걷다 보면 자기도 모르게 벌레를 밟을 수도 있습니다. 성긴 신발을 신는 이유는 바로 이런 벌레들을 해치고 싶지 않은 마음에서였습니다.

먼 길을 가려면 짐도 무거울 텐데, 성긴 짚신을 따로 챙기는 마음, 산속에 기어다니는 하찮은 벌레의 목숨도 내 생명과 똑같이 소중하게 배려하는 마음, 농부와 우리 선조들의 마음을 돌아보려니 문득 생각나는 일이 있습니다.

어릴 때 과수원에 놀러갔습니다. 그날은 과수원에 농약을 치는 날이었는데 일하는 아저씨가 뭔가 중얼거리는 소리가 들렸습니다. 무슨 말을 하는지 다가가 들어 보니 농약을 치다가 귤 나무에 있는 벌레에게 말하는 소리였습니다.

"야, 빨리 피해. 농약 치면 너 죽어."

농부들이 밭에서 일하다가 새참을 먹을 때면 첫 술을 떠서 "고시레!" 하고 외치면서 들판에 먼저 놓아 주는 것도 들판에 있는 곤충이나 새들이 먹으라는 배려였다고 하지요. 감나무 맨 꼭대기에 있는 감은 새가 먹으라고 절대 따지 않았고요.

자연과 하나가 되어 어떤 목숨도 소중히 여기는 농부의 마음.

그들은 일급 철학자인 듯합니다.

아직 참 좋은 당신을 만나지 못하셨다면
당신이 누군가에게 참 좋은 당신이 되어 주는 건 어떨까요?

아름다운
선물

어느 초등학교 선생님은 가장 감동적인 선물로 이것을 꼽았습니다.

선생님은 오지에 발령이 나서 고달픈 자취 생활을 하고 있었습니다. 어느 늦은 밤, 집 밖에 인기척이 나서 나가 보았습니다. 그랬더니 한 아이가 꽁지가 빠지게 달아나고 있고, 그 자리에는 신문지를 덮은 낡은 양은 쟁반이 있었습니다.

신문지를 들추어 보니 십 리 길을 달려오느라 다 쏟아진 나물국에, 역시 다 쏟아져 버린 보리밥, 김치 그릇 하나가 있었습니다.

그리고 맞춤법이 틀린 글이 적힌 쪽지 하나가 놓여 있었습니다.

"선생님, 식사 거르지 말고 드세요. 속 썩여서 죄송해요. 김순희

올림."

　선생님은 쟁반을 손에 들고 밤길을 달려왔을 아이를 생각하면서 밥을 넘기는데 목이 메었습니다. 그 후 선생님은 일생에서 가장 소중한 선물을 들라면 항상 그 보리밥 선물을 꼽았습니다. 그리고 세상에서 가장 맛있는 식사를 꼽으라고 해도 다 엎질러진 김치에 보리밥 식사를 떠올렸습니다.

Like
Calls Like

거리에는 있지만 사람 마음에는 없는 것, 바로 일방통행길입니다. 거리에는 일방통행길이 있지만 사람의 감정에는 일방통행이 있을 수 없습니다. 모든 감정은 '쌍방 교류의 법칙'을 가지고 있기 때문입니다. 심리 전문가들은 이렇게 단언합니다.

"내가 좋아하면 상대방도 나를 좋아하고, 내가 미워하면 상대방도 나를 미워한다."

서양 속담에도 이런 말이 있습니다.
"Like Calls Like."
'좋은 것이 좋은 것을 부른다'는 뜻입니다.

좋아하는 마음은 상대방에게 눈빛으로, 손짓으로, 표정으로, 몸짓으로, 공기로, 어떤 방법으로든 전달됩니다. 그래서 내가 좋아하면, 상대방도 자연히 나를 좋아하게 됩니다.

결국 타인과 잘 지내는 방법은 내가 먼저 그를 좋아하는 것, 그 방법이 최고입니다.

사실, 사람을 내가 먼저 좋아하기란 쉽지 않은 문제입니다. 그 비결 역시 단 하나입니다. 바로 그 사람의 장점을 많이 생각하는 것입니다.

그 이상의 비결은 없을 듯합니다.

서로 기대고
사는 인연

인간인 우리는 많은 사물과 자연에 기대어 살아갑니다.

우울한 날에는 하늘에 기대고, 슬픈 날에는 가로등에 기댑니다. 기쁜 날에는 나무에 기대고, 부푼 날에는 별에 기댑니다. 사랑하면 꽃에 기대고, 이별하면 달에 기댑니다.

우리가 기대고 사는 것이 어디 사물과 자연뿐이겠습니까.

일상생활에서 우리는 수많은 사람들에 기대어 살아갑니다.

내가 건네는 인사는 타인을 향한 것이고, 내가 사랑하는 사람도 나 아닌 타인입니다.

나를 울게 하는 사람도 타인, 나를 웃게 하는 사람도 타인입니다.

사람이 사람에게 비스듬히 기댄다는 것은 그의 마음에 내 마음이 스며드는 일입니다.

　그가 슬프면 내 마음에도 슬픔이 번지고, 그가 웃으면 내 마음에도 기쁨이 퍼집니다.

　서로서로 기대고 산다는 것, 그것이 바로 인연이겠지요.

　그 인연의 언덕은 어느 날은 흐리고 어느 날은 맑게 갤 겁니다.

　흐리면 흐린 대로, 개면 갠 대로 그에게 위로가 되고, 기쁨이 되어 주는 것⋯⋯.

　그것이 서로 기대고 살아가는 인연의 덕목이겠지요.

서로 기대고 살아가는
사람들의 감동 에세이

참 좋은 당신을
만났습니다

초판 1쇄 발행 2013년 7월 29일
초판 29쇄 발행 2020년 10월 5일

지은이 | 송정림
그린이 | 김진희
펴낸이 | 한순 이희섭
펴낸곳 | (주)도서출판 나무생각
편집 | 양미애 백모란
디자인 | 박민선
마케팅 | 이재석
출판등록 | 1999년 8월 19일 제1999-000112호
주소 | 서울특별시 마포구 월드컵로 70-4(서교동) 1F
전화 | 02-334-3339, 3308, 3361
팩스 | 02-334-3318
이메일 | tree3339@hanmail.net
홈페이지 | www.namubook.co.kr
블로그 | blog.naver.com/tree3339

ISBN 978-89-5937-285-0 03810